c o n t e n t s

目 录

No.3：用眼睛看自己，治愈当母亲的心

妈妈的开场白

陪伴孩子成长的过程，也是与心中那个伤痛小孩和解的过程

孩子像颗种子一样简单、完整。这颗种子将会展开怎样的旅程？

"橡实，是橡树的种子，橡实长成橡树，就像孩子长成大人。"每个孩子天生都具有某种独特性，在出生以前会挑选自己要活成什么样的生命蓝图。而这个蓝图就蕴含在每一颗橡实里，随着橡实的成长，会不断地呼唤我们走向自己的独特性，以自己独有的方式活出这一生。

种子的旅行

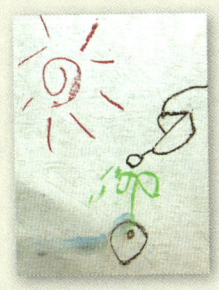

儿子说，
有人帮种子浇水，
种子受到照顾，
很快就发芽了。

种子掉在泥土里，
刚好有地下水经过，
种子发芽了。

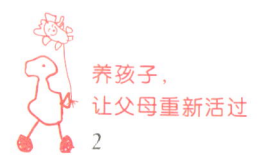

从孩子身上发现的这份独特性，映照在初为人母的心上，是一种非常微妙的悸动，仿佛重新回到母亲的子宫，重新和母亲的脐带取得无形的联结。而在自己的肚子里，却有另一条脐带牵引着一个小小的生命。上一代，通过我联结到下一代，生命与生命由此紧密地相互联结。我仿佛探见整个家族，甚至人类代代相传的秘密，听见每一颗种子从内爆破，飞迸而出的弹跳声。

不管是你，还是我，包括我们的孩子，所有的生命都该这样活泼，用力地呼吸，大声地歌唱，奋力展开自己的旅程。如果真有一个"生命蓝图"，不断召唤我们走出自己的人生，那么属于你的蓝图会是什么？你又是否已经活出自己的生命蓝图呢？

十年前，我是一个公立初中的地理老师。一开始，我只是想请三年育婴假照顾两个孩子，出乎意料的是，观察生命如何长大，竟如此撼动着我的心。我发现，孩子就像一颗完整的种子，天生就拥有独特的气韵，而这种天然的质性，并不是父母所赋予的。好比我

种子在冰冷雪地里，
发芽。

种子在最高的地方，
发芽。

种子被别人丢上去，
从天空掉下来，
掉在那个人的屋顶上。
下雨了，种子发芽了。

儿子，天生就像个爱思考的哲学家，女儿则像金庸笔下的黄蓉，机灵而利落。如果，每个人都拥有自己天生的种子，会开出真正属于自己的花朵。那么，属于我的天命，我自己的花朵，究竟是什么呢？

当我回眸检视过去几十年的人生，一眼望见的，是当年老爱在书桌上涂写，一心盼望来日可以成为文字创作者的自己。原来，那个年少的自己只是在学校当一个好老师，只是符合期望，并无法真正满足我。多年来，我一直不敢去面对内心的欠缺和虚空，以及那个"内在小孩"心里真正的渴望。

为了陪伴孩子成长，我也把自己还原成初生的种子，重新长出自己想要的样子。我毅然辞去工作，一边照顾孩子，一边投入写作，归零重新出发。经过多年的努力，我终于如愿出版了三本书，看到了生命的另一种可能，也补足了自己生命的缺憾。

也许，我们都忘了自己是如何长大，如何从橡实长成橡树的。但孩子的诞生，却为我们回放着生命最初的记忆。

种子找到好朋友，
开开心心，
一起发芽。

种子在沙漠里，
好烫，好热，
种子没想到自己会发芽。

种子在晚上发芽，
默默地，安静地发芽，
连一点点破壳的声音都没有。
只有流星经过。看见了。

这是我记录的十年来陪伴孩子的心路历程。儿子今年小学五年级，没有读过幼儿园，是我一手带大的。从小学一年级到小学五年级，每一年都当选同学票选的三好生，目前在学校扯铃和田径校队；女儿小学三年级，开朗活泼，从小就展现了绘画和音乐方面的艺术才情，目前在学校的竖笛校队。朋友都说，这两个孩子看起来很有"灵魂"，很有自己的味道。

过去，我曾经是个不快乐的大人，因为养育了两个小孩，让我有机会重新选择自己想要的生活，成了一个比较快乐、比较完整的大人。

有时，我会问儿子和女儿："你们快乐吗？""快乐啊！"爽朗的女儿大声地回答。斯文的儿子则是眯着笑眼点点头。偶尔，我还会肉麻地补上一句："你们成为爸爸妈妈的小孩，有没有很幸福？""当然幸福啊！"直率的女儿，冲过来狠狠地亲了我一下。腼腆的儿子闪着水汪汪的眼睛，说出了幸福的答案。

因为有两个快乐又体贴的孩子，我决定写下这本书，记下十年来陪伴两个小孩，和自己"内在的小孩"一起长大的旅程。

听完儿子说的故事，我突然想回到妈妈的肚子里，成为一颗小小的种子。儿子指着画："为什么五颗种子的颜色不一样？"

因为，每一颗初生的种子，
都有自己天生的灵魂，
都有自己生命的旅程。

释放孩子的天性

学龄前的孩子，需要的并不是他脑子里的知识，而是他对这个世界的感情。这个感情的根芽，是从孩子的心里自然而然冒出来，扎根于生命的纯真，并伴随着他不断地成长。而释放天性，就是第一步……

01

孩子，比我们想象的懂得更多

一直到当了妈妈，陪伴孩子成长，我才从庸碌盲目的大人世界，渐渐觉醒与回归。孩子并非什么都不懂，也不是空白的海绵。

前阵子，我读了张爱玲的《流言》，里面有篇《造人》。张爱玲对小孩的观察，真是一语中的。

她说，她对小孩总是尊重和恐惧，甚至敬而远之。倒不是后生可畏（张爱玲直言，多数情况下，许多小孩长大变成大人之后也都是很平凡的，还说不定不如我们这一代），真正让她敬畏的，应该是身为一个孩子，天生拥有的特质和性格，那"从生命的泉源里分出来的一点儿新的力量"，是世俗的成人难以想象的巨大。

如同张爱玲所形容："小孩不像我们想象的那么糊涂。父母大多数情况下都不懂得子女，而子女往往看穿了父母。我记得很清楚，小时候多么渴望把我所知道的全吐露出来，把长辈们大大地吓唬一下。"

"青年的特点是善忘，才过了儿时便把儿童心理忘得干干净净，直到老年，又渐渐和儿童接近起来，中间隔了一个时期，俗障最深，与孩子们完全失去接触。刚巧这便是生孩子的时候。"

"无怪生孩子的可以生了又生。他们把孩子看作有趣的傻子，可笑又可爱的累赘。他们不觉得孩子的眼睛很可怕。那么认真的眼睛，像末日审判的时候，天使的眼睛。"

我想，任何大人看了张爱玲这段文字，都会突然觉得自己好像被针狠狠刺到似的，带着隐隐刺痛的警醒，开始检视自己究竟用什么眼光看待孩子，甚至回眸探看儿时的自己。

张爱玲说得没错，在很小的时候，我们就拥有一双"认真的眼睛"看穿大人世界的一切。在那个保守传统的年代，孩子根本没有发言权，只能躲在大人的背后，眯着小眼偷偷地凝望，即使什么都懂，也不敢随意地表达自己。但现在的时代，比以往更开放更自由，很多父母只要多给孩子一些发言的空间，便会惊讶地发现，"孩子懂得比大人想象的还要多"。

譬如儿子小小年纪，竟能精准地剖析我和先生的个性。儿子说："爸爸生气时，像封闭型的火炉，闷在心里烧，每生气一次，就多加一根柴，累积到最后说不定会爆炸。妈妈就不一样了，妈妈是开放

型火炉，生一次气，烧一根柴，烧完就没事了。"有很多孩子，和儿子一样，都拥有看穿大人的本事，有时还因不懂得人情世故，说得针针见血，把大人气得咬牙切齿，哭笑不得。无怪乎有导师说："孩子生下来，并不是一块海绵，空白而准备好吸收知识。他早已吸满知识。"

因此，当孩子还只是个小婴儿时，我就把他当作一个完整的人，去尊重，去对话，从来不对孩子讲幼稚的儿语。（譬如："手指"很漂亮就说很"漂亮"，而不故意说"手手"很"漂漂"。）想想：如果真如宫崎骏所言，孩子是个充满灵性的小天使，那么，自以为是的大人们，是不是该从强势主导，反转过来向孩子学习，和孩子共同成长呢？

不学汉字，先用五感跟世界联结

　　常有人说：第一个孩子照书养，很多新手妈妈一定深有同感。早期我也是如此。

　　直到有一天，我突然想用自己的方式养养看，没有任何理论和实际做法可参考，感觉很像在进行一场生命的实验。有点紧张，也

　　儿子没读幼儿园。上小学以前，我故意不教他写字。希望他天马行空，自由涂鸦。我永远记得，他第一次主动写字，写上自己的名字时，是多么的兴奋！他在墙上写着，"杜元椿"三个大字，好像第一次感受到自己微妙的存在，只差没有放声尖叫……

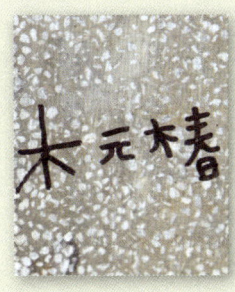

咦？仔细看墙上的"杜"好像写错了……

应该是这样才对……

有点焦虑，更多的是对生命的好奇，不知会出现怎样的实验结果。

我的实验有两个方向：一是不让儿子读幼儿园；二是上小学前不教儿子写汉字。

不让儿子读幼儿园，并不是排斥幼儿园的学习方法，而是当时全职照顾，可以带儿子到处旅行或探险，儿子在自我探索时也可以全心投入，想玩多久就玩多久，比较不会被上课的节数切割。这样的自由和幸福，恐怕只有上小学之前才能拥有。

至于故意不教儿子写汉字，主要是希望他减少直接从书上获得既有的知识，而能多用耳朵听，用眼睛观察，多用他的心灵阅读这个世界。

记得有一回，带儿子去图书馆，儿子竟指着书上的螳螂说，螳螂的眼睛会变色。我定睛一看，发现儿子的说法和书上写的一模一样。儿子当时根本不识字，也没有听过或看过类似的录音带或录像

怎么"杜"改过来，"椿"反而写错了？

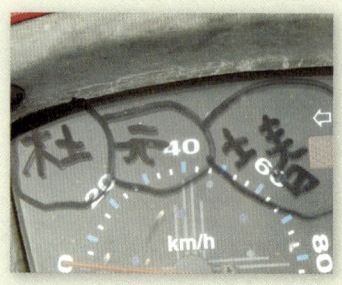

没关系，孩子高兴就好，
父母不要老是看到缺点。

带，何来这样的观点？经过追问，才知道是儿子饲养螳螂时，观察它的生活习性自己发现的。

由于儿子不识字，早期的字不是写的，而是画的。正因为是画的，反而可以天南地北，无限想象，用自己的笔触写信给小鸟、昆虫，甚至写信给土地公。也许在他心里根本没有会写或不会写的障碍，情感的流露反而通畅无阻。

在这个实验过程中，我讶异地发现，学龄前的孩子需要的并不是脑子里的知识，而是他对这个世界的感情。这个情感的根芽，是从孩子的心里自然而然冒出来的，扎根于生命的纯真，并伴随着他不断成长。如果大人能聆听孩子的想法，相互对话，正好可以梳理孩子内在情感的枝叶，并与外界取得流畅的联结。有些人担心孩子没读幼儿园，上了小学之后会不知如何与同学相处。但儿子上了小学之后，并没有人际关系的困扰，反而拥有好人缘。因为他每天在

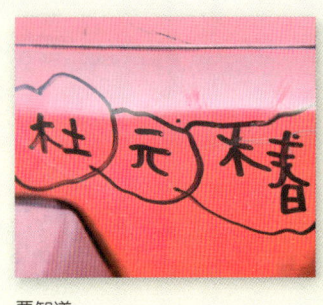

要知道，
孩子在你的摩托车上"签名"，
可是你的荣幸。

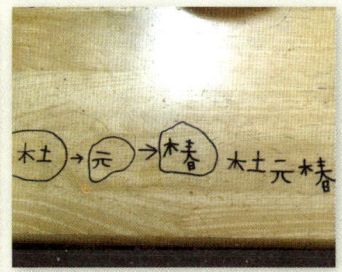

签上孩子大名的饭桌，
吃起饭来，都特别可口。

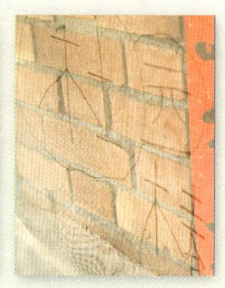

当然啦，
纱窗上只要有签名，
保准百虫不侵。

大自然里东奔西跑，和昆虫小鸟做朋友，并和我一起上菜市场、逛
书店，融入人群，他的心是向着这个世界打开的。

虽然儿子直到上小学才开始学写汉字，第一个月比较吃力，但
后来的学业成绩并没有受影响，从小学一年级到小学五年级都名列
前茅。孩子即使没学汉字，上小学之后，只要多下一些功夫或父母
多花一些时间从旁教导，也能迎头赶上。学识的多寡和成绩的提升，
是可以慢慢积累的，只要努力便大有可为。但孩子的童年就这么一
次，年幼时，是否拥有美好的记忆，并对这个世界怀抱热情，对孩
子将来长成大人有非常深远的影响。

想想，为什么到了某个年纪、某个阶段，许多大人就开始怀念
童年？蓦然回首，才突然发现年少的自己最真，童年的梦最美。有
些人开始向往儿时在泥巴草地打滚奔跑的自由自在，有些人则怀念
童年摘西红柿的田间生活，绝大部分的人向往的，也许只是单纯得

孩子的第一次是多么宝贵。
不管你多么心疼你的家具，
千万要咬紧牙根，带着微笑，
跟着孩子的名字起飞。

因为，孩子会永远记得，
爸妈给他的空间。
有家，才会有他。

像一张白纸，无拘无束的年少岁月。这种想退回母亲的子宫，回转向小孩的渴望，似乎变成大人们心灵隐秘的出口。好像只需要在童年的记忆，攫取其中小小的片段，就足以卸下现实的武装，涂上幸福的光环，回到生命的单纯和柔软。

没有美好童年的大人，如何从记忆里寻找那一丝丝纯真的根芽，作为暂时逃离现实的喘息之地？而你，又想带给孩子怎样的童年呢？

并不是鼓励孩子不要读幼儿园，或孩子不需要学写汉字。（女儿看儿子去读小学后，主动要求去读幼儿园，我也一样让她开开心心去读。）生命的实验有很多变数，我想证明的是："生命，不是只能有一个选项。母亲的爱，可以创造出种种的可能。"而这个可能，超越了孩子是不是要读幼儿园，何时开始学写汉字。对孩子而言，重点还是爱。每个人的家庭背景不同，家家都有一本需要修行的生命大书，不可能所有的人都采用同样的教养方式。不管你是两头忙的职业女性，还是全心陪孩子的全职妈妈，只要你投入对孩子的爱，就会创造出生命的另一种可能，发展出自己的教养模式，适合你的家庭，适合你自己，陪着孩子好好长大。

涂鸦是原始鲜活的眼睛看到的世界

记得有一回，我的生活遇到瓶颈，一直坐在椅子上发呆，闷闷地不想说话。

"妈妈，你心情不好是不是？"儿子从椅子后面探出头，小心翼翼地问我。

"妈妈，我发现我在笑时，天上的云、小鸟都会跟着我笑哦。"

"真的呀！"孩子的童心童语，像根火柴划过我的心田，突然觉得胸膛一阵温热。

"妈妈，希望以后我在笑时，你也要一起跟着我笑，像天上的云一样。"

"好啊！"我的嘴角，忍不住上扬。我看到一幅天地都微笑的图画。

用生命的眼光看世界

孩子的图画很像生命原始记忆的贮存所，贮存许多被人类遗忘的潜在意象，带来一种神秘而鲜活的呼唤。

日本动画大师宫崎骏特别喜欢从孩子身上寻找创作的灵感。宫崎骏在接受访谈时，曾经这样赞叹："小朋友啊，尤其是那么小的幼童，我觉得他们不是普通人，他们具有一种灵性或神性。"

宫崎骏所指的"灵性"和"神性"，是因为年幼的孩子，总是用生命的眼光看待这个世界。很多父母都有相同而且熟悉的记忆：孩子一开始的涂鸦画，总是会为太阳、月亮、大树和天上的云，画上眼睛和嘴巴。这绝对不是孩子单纯无知或想象力丰富，而是孩子的心眼是完完全全打开的。也正因为所有的事物，对孩子而言都是活泼的有情生命，所以孩子眼中的星星会微笑，花儿也会哭泣。

可惜的是，成人以后的世界渐渐脱离自然，也违背自然，反过来还误以为孩子像个可爱的傻子，竟然会和路边的小草说话。

近年来，伊贺列卡拉·修·蓝博士在畅销书《零极限》中抛出

一个观念，引起广泛回响："每样东西都是活的，房子、椅子跟人一样都有感觉。在我们认知里那些固体的东西，其实都是由能量组成的，如果我们愿意跟房子、椅子好好对话，就可以将阻塞的能量清除、归零，让爱重新充满整个房间。"想想，与大树、房子对话，甚至帮房子、车子画上眼睛，注入有情有泪的人性，不正是年幼的孩子看待这个世界最初的眼光吗？

所有的大人，不都是小孩变成的吗？为何变成大人的我们，反而为生命画上层层框架，处处为自己设限，窄化了生命的视野？为什么我们不能恢复幼儿时期的本能呢？

当我重新拿起画笔，为眼前看到的事物——画上眼睛、嘴巴和热腾腾的心时，我突然感受到一种生命的脉动。我的眼睛，亮了；心，也打开了。哇！所有的生命都在呼吸，所有的东西突然都活了起来，包括我自己。

孩子的涂鸦给妈妈的信息

观察生命如何"由小到大"的成长，是我这十年来最重要的功课。

但，"生命"究竟是什么呢？恐怕是很多人难以回答的大问号。

当我把自己想象成五岁的孩子，跟自己对话（也就是把孩子的

生命是什么

老天爷，你可以告诉我，什么是"生命"吗？

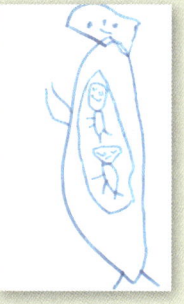

妈妈的肚子，有小宝宝，就是生命吗？

涂鸦重新排列组合，由自己来创作文字），竟然在这些涂鸦画中，找到了惊奇的答案。

看到儿子的涂鸦画（见下方），我仿佛挖到生命的宝藏，差点尖叫起来。

记得荣格曾以植物的根茎比喻生命。他说："我们看见花，它会消逝，但根茎仍然存在；生命，就像以根茎来延续生命的植物。真正的生命是看不见、深藏于根茎的。"尽管表象的生命，会像植物外在的花叶历经成长和凋萎，但蕴含生机的根茎，却在永恒的流动中，持续生存着。

儿子的图画，正好就以植物的根须，象征所有的生命。不管大人、小孩、大自然的动物，甚至是母亲孕育的小生命，他们的根须都紧紧牵系，一代联结一代。图画中，人与人相亲，人与地有情，

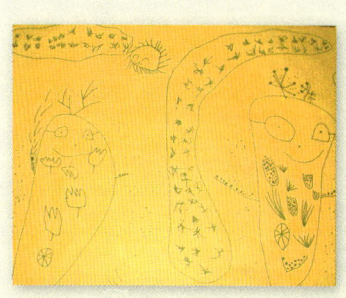

小太阳笑了。
他说："把心里的眼睛打开，才看得见生命啊！"

哇！我终于看见生命了。

不正是生命最原始、生生不息的图像吗？

孩子的涂鸦总是开启我凝视生命的另一只眼。也许当初孩子只是随心所欲地涂鸦，并不懂图画背后所蕴含的生命意境。但重点不在研究孩子的图画，而在生命本身传递的种种信息。孩子原始而朴拙的笔触，好像古老而久远的灵魂，通过孩子的画笔和我重新取得生命的联结。藉由我对生命的凝视，传递人类最初的"生命原型"，寻回许多大人失落甚至遗忘的宝藏。

这个惊喜的发现改变了我原有的教养观念。育儿初期，尤其初为人母，当妈妈的心总是焦虑而急切。我像很多妈妈一样，不断地翻阅各种育儿书，按照书里的提点和指引教养小孩，总觉得自己缺乏自信，老是在寻觅一种可以套用的教养模式，孩子的涂鸦却引领我从表象的依赖，转变成内在的探索，反而找回身为妈妈的直觉与自信。

这种自信，是妈妈对自己的小孩油然而生的直觉和母爱，是由内长出来的。而这种直觉，是所有妈妈原有的本能，是孩子用血浓于水的脐带轻轻呼唤着母亲，告诉你他真正的需要，只有你愿意用自己的心灵聆听才会懂。从初期"指导孩子应该怎么做"，转变成后来"观察孩子想要怎么做"，从旁引导，甚至回眸检视自己，往内回归，我才蓦然发现：原来养儿育女，除了关注孩子的成长和成就，我们还可以像个小孩，回到生命的初始，用童心的眼光重新省

视自己。

更严肃一点说，孩子是我们生命的反映，其实我们是在陪伴孩子成长的历程中，一遍又一遍地还原自己，找到生命最初的根须，活出生而为人的本质。

别用世故伤纯真

泰戈尔曾说："每一位孩子来到人间，就是神灵尚未对人类失望的信息。"

在不愿、也不敢生育的年代，大人们究竟可以从孩子身上学到哪些事？或者拾回什么？自从有了孩子，我一点一滴恢复年少柔软的童心，却难免在不知不觉中犯错。

记得有一段时间，我常喝五谷奶补充钙质。"咦！妈妈，你不是不敢喝牛奶吗？"当年才五岁的儿子指着五谷奶笑我。

"哇！被你发现了。因为妈妈年纪大了，需要补充钙质。"

从闻到奶味就想吐，到现在每天喝一杯。这么大的改变，当然会引起孩子的好奇，我得好好解释才行。

"嗯！钙质可以让骨头强壮。妈妈怕自己老的时候会走不动，所以要赶紧补充钙质。"

"哦，原来是这样。妈妈你放心好了，你老的时候我会背你。"

"背我？"我听了又感动又好笑，那是一幅怎样的画面啊！

"很简单！"儿子拍拍胸脯说，"我只要买一个竹篓，把你装在里面，背在后面就行了。"

妈妈，你老的时候我会背你，找一个竹篓，把你装在我背后。

等爸爸也老了，就把小竹篓换成大竹篓，连爸爸一起放进去！
还有妹妹！

孩子的童心带着一种真实的感动，撞得我心头暖暖的。

"爸爸呢？"这么棒的事，一定要和老伴分享。

"如果爸爸也走不动，我就把小竹篓换成大竹篓，把你和爸爸一起装在后面背着走。"

儿子理所当然地说完，突然又想起什么似的，赶紧补了一句："对了！还有妹妹，我也要一起背着她。"

"妹妹不用啦！因为那时候她已经嫁到别人家去了。"我随口说说，只想开个玩笑。没想到儿子却哭了，他不要妹妹离家到别处。

我觉得自己用大人庸俗的话语，伤了孩子的心。

 # 筑一个秘密基地

　　儿时的你，是否曾经躲在澡盆里、床底下、衣橱里、纸箱里……一待就是大半天，有时还不小心睡着了，让妈妈急得挨家挨户四处寻找。

有些大人
不喜欢听小孩子说话；
但是哥哥喜欢和妹妹说话，
不过，有时他要很有耐心，
才知道妹妹要说什么。

长大后，
妹妹变成最了解哥哥的人。

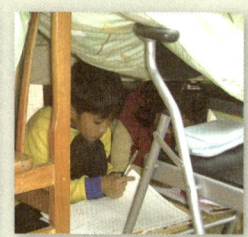

她知道，
哥哥需要有个秘密基地。

当年，卡通片《汤姆历险记》里的汤姆和哈克，一起打造树屋，作为两人的秘密基地，是否也是你童年的梦？

为什么拥有私密的领域，是大人和小孩共同的渴望？大人需不需要一个秘密基地，尽情地哭、尽情地笑呢？

每次遇到挫折时，总想缩回一个温暖的壳，躲着、哭着、被保护着。这种把自己藏在隐匿安全的巢穴，回到最初、最温暖的子宫，似乎是生命原始的本能。可惜的是，很多忙碌的大人，连自己喘息的空间都没有，更遑论为孩子打造一个秘密基地。

"有没有可能，让孩子从小就拥有自己的窝，让他可以对自己说些悄悄话呢？"这是我当妈妈后，反复思索的课题。

因此，在孩子两三岁，学会坐下来涂鸦、画画后，我便让他们拥有自己的小书桌、小抽屉，在安全的范围内，让他们自由地移动家具，建立自己的小小城堡。因为，我永远忘不了儿时总是喜欢躲进没有人会发现的大衣橱，天马行空地做着白日梦。有时四处涂鸦，

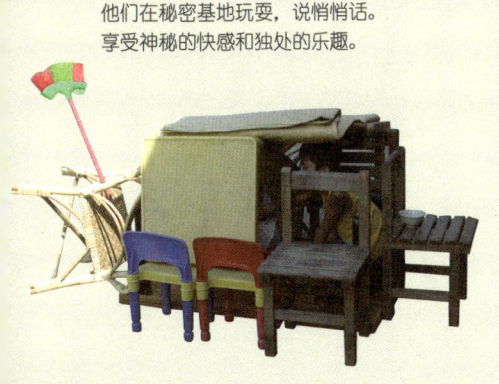

他们在秘密基地玩耍，说悄悄话。
享受神秘的快感和独处的乐趣。

就像当初在妈妈
肚子里一样。

大人，不也是小孩变成的吗？
大人需不需要"大肚子帐篷"，
听一听生命最初的心跳？

有时乱编故事，好像一进入自己的秘密基地，就能变身为魔术师，轻轻摇着笔杆，把世界变得如幻如梦，多彩多姿。

一直到现在，这个曾让五六岁的我作为秘密基地躲藏的大衣橱，竟还会散发一股特有的气味，在某个恍惚的瞬间，穿越几十年的时光隧道，迎着我扑鼻而来。这究竟是什么样的味道啊？混杂着当年衣橱带点潮湿的霉味和五味杂陈的情绪，包裹着一层岁月的薄纱，时而翻搅，时而奔腾，甚至像海浪般一波一波爬过时间的高墙，偷偷地把我抛回昔日的故居。

很意外，有时我竟不敢再打开那个大衣橱，害怕看到一种渴望。

步入中年以后，有一次无意间，读到米沃希的诗："衣橱，充满了回忆而生的缄默骚动。"我才恍然明白，原来儿时躲在大衣橱里面，寻求的是一种私密的解放。每个人的秘密基地，就像我的大衣橱，是记忆与秘密，甚至是梦想的贮存所。唯有在一个安全隐密的处所，安安静静地缄默中，你才能将深处潜藏的各种骚动，全然地释放出来。

或许，成年以后的我们，需要的仅仅是一个非常小的渴求。找到一个可以默默疗伤、放空沉淀、发泄情绪的空间，或者只想找一个不被别人打扰的"秘密基地"，安安静静地看完一本书，储备再次出发的能量。

想想，对孩子而言，又何尝不是如此呢？

从孩子身上发掘梦想的勇气

有一回到朋友家，发现她花了一大笔钱，买了一套"炊事家具"给孩子办家家酒。这一套益智玩具标榜开发孩子的潜能、激发想象力，还手脑并用，有助于"小肌肉发展"。我在一旁看着那些人工玩具，左瞧右瞧，说不上来究竟哪里不对劲。脑海里倒是啵啵地不断

你有梦吗？
或者像孩子一样，
有个开餐厅的梦想？

筑梦，要有具体的愿景。
按照实践的步骤，一步一步慢慢来。

冒出，儿时用蜡笔画菜单，在树下用沙子、树叶炒菜，用红砖石头
堆砌煮饭的灶台，呼朋引伴当起小厨师的美好时光。

　　这种从生活和土地就近取材，充满各种想象创意的"餐厅梦"，
实体实地操作下的"小肌肉发展"，怎么也不会输给市面上那些虚拟
的塑料玩具啊。紧接着，浮上心头的想法是：平常不用、少用，或
者功能故障准备资源回收的锅碗瓢盆和烤箱，其实就是孩子最棒的
"玩具"啊。为什么不能让这一代的小孩，重返我们儿时的乐趣呢？

　　于是，我带着孩子到野外捡了一些木头，分类洗净后，就让孩
子自由移动家里的摆设，自己设计草图，一笔一画拟订盖餐厅的各
种步骤。哪些可以自己动手？哪些需要大人帮忙？都一一标示出来。
儿子甚至还认真地画出到达餐厅的路线图，将指示标做成广告牌，
伫立在家门口。为了帮助孩子成为一个"好老板"，我还特地带他们
去餐馆吃饭，观察餐馆的老板如何招呼客人、设计菜单，以及如何

先布置餐厅的大门，
让别人第一眼就看到诚意。
只要有心，梦想的雏形
就会渐渐浮现。

你的"心"，
决定你生命出现的"菜单"。

孩子的餐厅，
最大特色是"菜单"。
你想吃什么，
就会看到什么。

布置餐厅、吸引客人。等孩子再大些，我就直接让他们一起进厨房帮忙做饭、切菜、煮面、腌小黄瓜、烤松饼，再邀请客人一起来品尝。

虽然儿子和女儿都还只是小学生，却能泡出香醇可口的咖啡和好茶。偶尔绞尽脑汁写不出稿子时，竟还能享受女儿贴心送上的热拿铁，那种惊喜加上甜蜜的双重幸福，真是笔墨难以言喻。而在这个圆梦的过程中，我发现：大部分的小孩都和儿子女儿一样有个当厨师的"餐厅梦"，而且很喜欢自己动手做。不管是行动力、创造力，玩起来兴致勃勃、欲罢不能的劲儿，都和儿时的我们不相上下，甚至有过之而无不及。

懒得动，懒得想，怕麻烦，怕孩子弄脏衣服，失去筑梦的勇气和乐趣的，反倒是大人。

储备好自己的能力和配备。
随机应变，克服各种困难。

为自己，为别人，
变出各种好菜。

追寻梦想，
和通往餐厅的路一样，
难免带点曲折。

不管年纪多大，总有个指标，有个声音，
在脑海里轻声呼唤我："回到童年，为自己筑梦。"

配合节令，培养孩子的"节气能量"

孩子很喜欢过节，包粽子、搓汤圆、放烟火、领红包，配合四季节令和欢度各种节庆的氛围，设计各种亲子活动，正好可以注入你对孩子的感情。

从打扫生活的空间到检视心灵的空间

传说"年"是一种可怕的独角兽，儿子问我："妈妈，可怕的年兽还在吗？"我笑着说："有形的，看得见的年兽不见了。但是，无形的、看不见的年兽却在人的心里。"因此，过年前我们总会陪伴孩子，一起大扫除、写春联、谢天敬神拜土地公，把心里的年兽赶跑。

年终大扫除前，先生画了一张家里的平面图，一家四口每个人一种颜色，记录每个人和生活空间的关系，然后画出每个人在家里

的动线图。经过一段时间，我们会共同讨论家里最常用的空间在哪里？哪一个空间需要移除、需要改变？还把家里的器具分门别类、各就各位，就像在社会上每个人要先摆对自己的位置，才能活出自己。

除了打扫生活空间，我和孩子也会围坐成一个圆圈，真诚地检视自己的心灵空间。儿子说："我的心里住着一只年兽，每次它跑来了，我就想和妹妹吵架，惹妈妈生气。真是对不起。"我笑着说："没关系，妈妈心里也有一只年兽，它常常让我太过急躁，妈妈也要改进。"

天真的女儿抢着发言："我也有啦。我都不自己好好吃饭，要妈妈喂，真不乖。"在一旁的先生抱起女儿笑着："心里的年兽跑了，表示你们真的长大喽！"我想，真正赶走心里年兽的，是生命的真诚和坦白，那是一股很强的生命能量。

创意春联写出自己对生命的提醒

两个孩子也期待写春联，先生买了一叠春联红纸，全家用毛笔，用自己的语言写春联。房间写"睡得好"，厨房写"吃得饱"，冰箱写"适

当"，厕所则写"出入"，意指"有进有出，吃什么拉什么"，也象征进"入"心里的思维是什么，外在的行为就会显现"出"来。

大门门口的春联则由先生执笔，对联是"有妻有儿有书茶，养天养地养自然"，横批是"回到自己，生人一叩"。写春联，对我们家而言，是写出自己对生命的提醒，用去年的心得，过今年的日子。有时候，我们还会用蜡笔辅助涂鸦，先用毛笔画一颗种子，再用蜡笔画出几片绿叶，有一种春天即将来临、冒出芽来的新意。

先生告诉儿子和女儿，据说古代乡贤仕绅告老还乡，会在大年初一走访村里，若看到春联写得不错的人家，就会进去给红包。若发现哪个年轻人在春联里写出一年的志气，日后就提拔他，并把经验和资源传承给后辈，年轻人受到这样的鼓励，也许会感动受用一辈子。

我们想把这样的感动带入小区，希望将来的小区，每一户人家都能贴上自己写的春联，并且能从春联的句子、图像，看见当地居民的创造力，这就是文化，是从每个人的生命长出来的。因此，每年过年前，我们就在小区举办写

妹妹3岁时跟着"涂"春联。

春联活动，还举办创意春联比赛。

藏有秘密的红包，包裹着你对孩子的爱

大年初一就邀约邻居一起去拜年，只要春联是自己写的，就送一个红包作为鼓励。红包里有硬币、糖果、核桃三样东西。圆圆的硬币用红纸包着，代表圆满如意；甜甜的糖果吃了满心欢喜；生的核桃，则代表生机。

收到红包的孩子，总想尽办法，才能把带壳的核桃剥开，有的直接摔，有的用石头敲。剥开外壳后，孩子总是迫不及待地"嘎巴、嘎巴"嚼核桃仁，哪知生涩的核桃仁一点也没味道，害得孩子差点一口吐出来。

这时，先生总是笑着说："慢慢嚼，嚼十下、二十下、三十下，就会愈来愈甘甜，因为有生命的原味，要慢慢咀嚼。"我们看着孩子嘴巴嚼着核桃仁，脸上的表情由一开始皱着眉头，渐渐咀嚼得津津有味，不禁也跟着哈哈大笑。

其实父母私下包给自家孩子的红包，也一样可以打造出不同于传统的创意。红包里除了压岁钱，也可以藏着你和孩子这一年来的小秘密，可能是一句贴心话、一幅小小的图画、一个象征性的暗示，包裹着明年你对孩子的爱与期望。

岁末，也是我们一家人谢神感恩的日子。我们准备鲜花水果，带着孩子写给土地公的信，到土地公庙敬拜土地公，谢谢他一年来守护这块土地，陪我们走过春夏秋冬。和土地公成为好朋友的儿子和女儿，总是抢着说话。儿子说："土地公，我喜欢你。是因为我想要找你时，你永远都在。"儿子和土地公那种"守着阳光，守着你"的感动，说得我们心头暖暖的。尤其两个孩子（学龄前）写给土地公的信，像极了洞穴里的原始文字，好像藏有天地人如何融为一体的秘密，但愿有一天我能解开生命最原始的密码。

望着慈祥温厚的土地公，默默地烧香祝祷，总觉得不管生命有多少风雨，只要拥有孩子欢笑的容颜，一家人的心能够紧紧相连，我们便能带着勇气和力量，走向新的一年。

儿子写给土地公的信，藏着生命原始的密码

 ## 给孩子诉说的空间，做情绪的深呼吸

孩子像小小的哲学家，有时甚至不用大人费心教导，小小的脑袋也自有思维逻辑。

"妈妈，今天让黄豆静坐。"

有一阵子，两个孩子很喜欢喝豆浆，我们决定买黄豆自己做。

还没泡水的黄豆硬硬干干的，好像还在休息睡觉，生命是静止的。但泡过一夜之后，它的生命受到滋润，散发即将脱壳蜕变的光泽，有一种等待发芽的生机在里头。

我们把黄豆加水放在果汁机打成浆汁，再用棉布过滤，最后放在火上慢慢熬煮。又香又浓的豆浆真是人间美味，我忍不住赞叹："能喝到自己做的豆浆真的好棒！"没想到儿子竟蹲下身子，开心地跟豆浆说："豆浆，你看，妈妈对你很有感情哦！"

有时心血来潮，儿子和妹妹会把泡过水的黄豆种在盆子里，观察黄豆发芽之后的生长过程，满心欢喜地照顾发芽的黄豆。有时放音乐给黄豆听，有时和黄豆一起听故事，不小心抓到黄豆时，还得规规矩矩地说"对不起"。

我发现，在孩子的心里，黄豆不是一颗没有生命的豆子，而是一个有情有泪有人味的朋友。当我看到被孩子细心照顾的黄豆向下扎根，挺直身体，长出两片叶子时，那个模样真像一只伸长脖子、张开嘴巴、嗷嗷待哺的雏鸟，连我也忍不住加入照顾黄豆的行列。

直到有一天，我发现儿子一整天都没有对黄豆说话唱歌，还以为他忘记照顾黄豆这件事了。想不到儿子竟说："有时候，黄豆需要安静。今天我让黄豆静坐。你看！黄豆也开开心心，安安静静地长大。"

儿子充满童心的体悟，令人莞尔。"给出成长的空间"，不正是我们面对任何人该有的生命态度吗？

"妈妈，你知道吗？六岁算大，也算小。"

等到儿子愈长愈大，小小的脑袋瓜竟还自己发展出一套生命"哲学"。记得当时儿子才只有六岁，有一回叽里呱啦对我讲了一堆奇幻的故事，当时的我忙着照顾四岁的女儿，累得呆坐在一旁听着，心思已经不知飘到哪里去了。

"妈妈你注意听哪。"儿子拉着我的辫子抗议。我摸摸他的小脸蛋，说声抱歉。没想到儿子却眯着笑眼说："妈妈，我不会怪你啦，刚才我跟你讲的那些事，有可能发生，也有可能不会发生。因为我才六岁，六岁的小孩子，有些事知道，也有些事不知道。六岁的孩子，算大，也算小。"

仔细想想，觉得儿子讲得还真有道理。即使当时我才三十几岁，也和他一样。有些事，我真的不懂。只是因为稍微有一些年纪，有时候会故意装懂，甚至还会倚老卖老。其实我和六岁的孩子一样，"有些事知道，也有一些事不知道。"

再反省一下自己，很多事都是自己想象出来的，却常常铁口直断，以为事情一定会按照自己想象的剧情去发展。不仅吓到自己，也吓到别人。其实我和六岁孩子说的话一样，"有可能发生，也有可能不会发生"。

的确，儿子说得一点也没错。虽然我已经三四十岁，有时坚强得像一棵大树，不畏狂风暴雨；但有时却脆弱得像个小孩，需要别人安慰呵护。其实我和六岁的孩子一样，"算大，也算小"。真希望我七十岁时，还会记得儿子六岁时说的这些话。

"妈妈，你想过'感情'这件事吗？"

上小学以后，儿子不仅越来越有想法，也有了自己的朋友。有一天，儿子突然问我："妈妈，你想过'感情'这件事吗？""嗯，妈妈想过，可是……"我一时语塞，因为"感情"太抽象了，要怎么解释呢？不过，我马上从儿子慧黠调皮的眼神中，知道他心里早有答案，却故意要考考我。

"你要不要说说看？"

儿子掩不住内心的喜悦，马上接着说："妈妈，有些人不认识就没有感情，认识了就会有感情。像俊宏哥哥认识我，我的感情就跑到他的心里面，俊宏哥哥的感情也会跑到我的心里面。"

"嗯，你讲得很棒。如果两个人吵架，那该怎么办呢？"换我考儿子了。"妈妈，如果两个人吵架，感情就跑掉了，这样就会没感情，我会很难过。"儿子说着，眼眶马上红了，我不希望话题这样伤心地结束，摸摸他的头说："要想办法啊。"

"说'对不起'。"儿子的眼睛亮了起来，嘴角露出一丝微笑。"说'对不起'，感情就会跑回来。感情喜欢说'对不起'的人。"我开心地给儿子一个大拥抱，希望他长大后，依然会记得小时候这样真心的告白。

孩子，你的话就像闪电

类似这样出人意料的惊人话语，俯拾即是。更真切地说，大人往往还来不及做任何心理准备，孩子就会不经意地冒出一句话，像

突然袭来的闪电，"啪"的一声就直接打在心坎上。

记得有一回我头痛身体不舒服。"妈妈，你怎么了？"儿子跑过来紧紧抱住我，轻轻一句安慰，马上让我这个当妈的眼泪簌簌而下。体贴的儿子抽了一张卫生纸，拭去我眼角的泪，还倒来一杯热茶。我好感动，一边拭泪一边说："有时候妈妈觉得心里压力好大，家务做不完，也没有把你和妹妹照顾好。"

没想到儿子一听完就松开手，眼睛乌溜溜地看着我，用很轻很柔的语气对我说："妈妈，我跟你说哦。我不乖的时候，你都很生气，都没有慢慢对我讲。你都不知道你在生气时，都没有好好照顾到你自己。还有，你的饭都吃得太少，你的脊椎会承受不住你的重量。要多喝温开水，出去的时候也要多喝温开水。"

儿子一边想一边说，断断续续好不容易说完，还给了我一个大拥抱。我抱着他哽咽起来。孩子是在什么时候长大的？变得这么懂事。而我像个脆弱的小孩，在孩子的体贴中看见自己。

父母亲，蹲下身子倾听

　　几年来，我把孩子与我碰撞的火花，写成一篇又一篇的文章，刊登在报纸杂志上。有一回上广播电台接受访谈，竟有听众提问："为什么我们家的孩子，讲不出像你们家小孩一样有哲理的话？"

　　回家后，仔细想想。原来，我被问倒的主因是："知道孩子的脑袋瓜，究竟在想些什么？"对我而言，实在是再自然不过的事。我只是单纯好奇孩子会如何思考，惊叹于孩子的想象力，从来不去比较别人家和我们家的孩子，为什么"这么说"或"不那么说"，而是相信每个孩子，按照自己的个性（文静木讷，或善于说理）都会发展出个人的思维逻辑和生命哲学。

　　我想，大人心里在意的："为什么我们家的孩子不能这么说？"真正的问题并不在孩子，反而在于父母能不能做孩子的倾听者？能

不能让孩子敞开心扉，说出心底的话？

　　陪伴孩子就像照顾种子长大一样，你必须做的，其实只是适时浇水，施予养分，观察种子的需要（而不是用你自己的期望揠苗助长）。大部分的时光里，我们并不知道亲手照顾的种子是一颗怎样的种子？会开出怎样的花朵？（恐怕要种子一边成长、一边探索，最后由它自己来决定，自己要长成什么样子。）身为种子的守护者，我们只能不离不弃地等待和观察，倾听种子发出的各种信息，必要时给予各种协助。

　　大部分的孩子需要的其实只是父母的陪伴和倾听，不管孩子多大，都需要有人倾听他内在的声音，分享他的笑、他的泪。如果你的孩子不愿意对你掏心，也许你必须先回过头来想想，自己是不是真的放下大人的权威？还是暗地里，仍然以为自己一定懂得比孩子多，不知不觉，便流露出"孩子样样不如我，我非要出面指导不可"的姿态。

　　"太多的教导，有时不是助力，反而是一种阻力。"儿童教育博士蒙台梭利曾经一再坦言，"每一个孩子都有一种内在的冲动，特定的敏感期里，指引他去做一些重要的动作。"也就是说，孩子依从本身的意志（创造力），不需大人太多的教导干预，便可独立地学习如何动手、动脑、说话和思考。孩子的人格是自然形成的，"在小小的生命里，已经具备发展成为一个人的一切潜能"。

也许，我们大人真正该做的，反而是先把自己放空，给出自由流动的情感空间，孩子才会自然地走进你心里，自在地展现自己。

十年来，我记录了两个孩子对各种事情的看法。也许对未经世事磨炼的孩子而言，他们只是发挥自己的想象力和创造力，但我从不设定孩子懂不懂，说得好不好？而是真心真意地聆听他们的想法。每次我抛出一个问号，就像抛出一个生命的鱼饵，不晓得会从孩子身上钓到什么生命宝藏。这其中有期待、有惊喜，也享有心灵难以言喻的丰厚和富足。而我所做的，仅仅只是蹲下身子，倾听。

孩子"待人"，无畏风雨

记得有一回心血来潮，很少做缝纫的我，突然想缝个枕头。"妈妈，你在做什么？要不要帮忙？"儿子好奇地盯着枕头。

"爸爸昨天送妈妈一个小礼物，所以我想缝个枕头送他。"我一面回答，一面思索着哪只手拿针、哪只手拿布，换来换去，看起来笨手笨脚的。

"妈妈，你不会缝，又那么认真缝……"果然被儿子看穿了。只见他憋着笑，促狭地说："哦！我知道了，因为妈妈很爱爸爸是不是？"我尴尬得脸红，故意正经地说："嗯，爸爸也对妈妈很好啊！如果有人对我们好，我们就要对别人好。"儿子接着我的话继续推理："如果有人对我们不好，我们就要……"

儿子还没说完，我已经在心里对自己质疑。我可以直接跟孩子说"有人对我们不好，我们就对他不好"吗？我觉得自己好像是这种人。

想不到儿子竟接着说："如果有人对我们不好，我们也要对他很好，对不对？"我有点赧颜："怎么会这么想？""因为我要让那个人知道，对人不好是不对的，所以我还是对他很好，做给他看。"

"如果别人还是对你不好，让你伤心难过呢？"

只见他表情严肃地摇摇头："我就直接跟他说，这样是不对的。"

"如果别人还是不改进呢？"

"那……我就不管他了！"儿子答得真干脆。是不是孩子尚未历经世事，才会这般洒脱？真希望儿子长大后，仍然无畏于外在的风风雨雨。

孩子说"谢谢"，有自己的逻辑

还有一次，外面的路灯出故障了，黑漆漆的夜晚笼罩着大地。我和儿子如常地在饭桌上吃饭，谈天说地。"妈妈，谢谢你，你煮的饭真好吃。"我开心得哈哈大笑。

"妈妈，我谢谢你，你也要谢谢你自己。"

"谢谢我自己？"我还来不及意会，只见儿子突然从椅子上爬下来。

"怎么啦？"

"我去阳台关灯。"抬头一看，外面的路灯全都亮了，原来已经修好了。

"你什么时候把阳台的灯打开了？"

"因为刚才外面没有路灯，我怕妈妈去阳台晾衣服，太暗会跌倒，所以就先去把它打开。"我好感动，搂着儿子跟他说谢谢。

没想到儿子抱着我，在我耳边轻轻地说："妈妈，你跟我说谢谢。我也要谢谢我自己，我让自己觉得好快乐。"

原来孩子的想法是："为别人付出，自己也会得到快乐"，当然要"谢谢自己"喽！

孩子的"对不起"，好认真啊

孩子的心真柔软，拉长耳朵倾听孩子的话语，难免也会听到两兄妹吵架的尖叫声。

"妈妈，哥哥扔香蕉皮害我跌倒。""哪有？是你自己走路不看路！"两兄妹的战火一触即发。

"是哥哥的错！刚才只有你吃香蕉，而且香蕉皮怎么可以扔在垃圾桶外面呢？"我这个"包青天"马上跳出来裁决。

"我只是不小心没丢准，又不是故意害妹妹跌倒。"儿子噘着嘴，坚持不肯认错。

"不小心害别人跌倒也要道歉，有错就要认错。"我的声调忍不住提高八度。

"对——不——起。"儿子心不甘情不愿地说。

没想到妹妹竟不领情："妈妈，哥哥怎么可以生气地说'对不起'，这样我不说'没关系'。"

"好嘛，对不起。"儿子头低低的，像是敷衍了事。

"哥哥，你说'对不起'的时候，都没有看着我，这样我不说'没关系'。"

"你要先看着我，我才能看着你说'对不起'啊。"儿子不服气地照样顶回去。

"好。哥哥，我数一、二、三，数到三时，我看着你，你也要一起看着我才行。"

"好。"

"一、二……"妹妹边数边紧紧盯着哥哥，数到"三"时，哥哥果然按照约定，分秒不差地看着妹妹说"对不起"。妹妹这才满意地接着说："没关系。"

我在一旁看着两兄妹四目交汇的那一幕，忍不住扑哧笑了出来。扪心自问：自己和另一半拌嘴时，说"对不起"的态度，像孩子这么认真吗？不觉得脸红心虚起来。

孩子的"能量"，超乎大人想象

记得尼采曾经这样比拟孩子："儿童天真无邪而善忘，是一个新的开始、一个游戏、一个自转的轮子、一个最原始的动作、一个神圣的肯定。"如果为人父母者能学习尼采，给予孩子一种"神圣的肯定"，那么你一定也能从自家孩子的身上，发现孩子像"一个自转的轮子"，有种惊人的本能、天真的想象和难以预估的能量。

有一年寒流来袭，儿子想喝冰镇豆浆，我不答应。"妈妈，我有方法啦！"他又有什么好点子？"如果我喝冰镇豆浆感觉太凉，就在嘴里漱一漱，最后会温温的，感觉好像有一种能量在嘴巴里。"

"'能量'是什么呢？"儿子去哪学到这样的词语？"能量是一种热气。"他回答得简洁有力。

"能量跟你的身体有什么关系？"哎呀，连我自己都觉得这个问题有点难。但，孩子对生命的体会，远远超乎大人的想象。

"能量可以让身体保持温暖。"儿子歪着头想了一下，又比着手指头继续说："有时候能量会从食指接着中指传进来……等整只手感觉到热气，再传到身体的骨架，最后连脚都感觉到热气。不过，如果能量从脚跑出去，脚就会不热了。"

儿子指手画脚认真说了一大串，听得我心头热热的，仿佛有一股暖流在身体里窜动："你把能量传给妈妈了，妈妈的身体变得好温暖哦。妈妈会好好珍惜，不让能量从脚跑出去。"

真的，我觉得我们都可以像孩子一样：自己给自己能量，然后把温暖带给别人。

不要小看童话的力量

　　从孩子会走路开始，不管上菜市场买菜、听演讲或听音乐会，我和先生都会带着两个孩子一起参与。孩子从我们拉出去的生活网络：如何与别人打招呼、沟通聊天、挑选新鲜的蔬菜，如何欣赏一幅画，自然地感受父母对人、对物甚至是对整个世界的诸多想法。

　　不过，有一回参加"与世界同步，对抗全球暖化"的活动，犹豫再三之后，决定不带孩子同行。孩子太小，大人的要求太多，没把握孩子是否会了解活动背后的意义。

　　出乎意料地，儿子问了一连串的问题后，改变了我的决定：

　　"妈妈，台北有机场吗？"

　　"有啊！"

　　"美国有机场吗？"

"有啊！"

"台南有机场吗？"

"有啊！"

我的声音，忍不住一次跟着一次狐疑地提高："问那么多机场干吗呢？"儿子的眼睛炯炯有神，抱定决心说："妈妈，我觉得我们应该坐飞机到世界各地，去倡导大家不要乱砍树木。要不然'盘古'会很伤心。"

儿子实在太过天真，正想哈哈大笑时，却见女儿挥舞着双拳，大声应和："对嘛！乱砍树木，就是乱砍盘古的手脚！"

"唔？盘古是谁呢？"孩子用这么激烈的感情，为他发声，难道是中国神话里，那个开天辟地的盘古吗？

"喏，你听！"儿子的收音机里传来一个熟悉的故事："远古时代，天地混沌一片。直到盘古用厚实的肩膀牢牢地顶住天，再用双脚稳稳地踩住大地，才将天地分开。每天盘古的身体长高一丈，天就被他顶高一丈。盘古就这样不眠不休，工作了一万八千年，直到力量用尽，盘古还舍不得离开自己开创的大地。于是将自己的手脚升作山峰，皮毛化为森林，左眼变成太阳，右眼变成月亮，日日夜夜看护他所深爱的山川大地……"

盘古，一个被大人嗤之以鼻的神话人物，竟是撼动孩子心灵的

大巨人。

想起自己即将要参加的活动，便拉起孩子的小手："走吧！不用坐飞机，到大安森林公园，就可以和世界同步，呼吁大家一起守护盘古开辟的天地了。"

出发前，我念了一段朋友寄来的活动推广函"地球的遗书"给孩子听："今年，我已经 46 亿岁了，也许我真的老了，真的病了。看看被石油弄脏的海水，那是我的血液；看看干旱焦灼的土地，那是我的皮肤……"

念着念着，突然觉得自己好像在为盘古如泣如诉地做一番真情的告白。原来孩子为我描绘的盘古，用自己的身体和天地融为一体的身影，已经在不知不觉中、活生生地进驻我的心里面。

一到活动现场，我在儿子和女儿的脖子上，各挂了一台数码相机，让孩子用自己的眼光，记录各个环保团体的标语、化装造型。

现场配合活动的造型很多：有呼吁大家多种树的"树人"造型，有"地球发烧了"的生态剧，也有"拯救地球你我他"的相声，其中一个行动剧，特别引人注目。剧中的阿婆，把白薯放在火炉上烤，用斗笠拼命扇风，唠唠叨叨地抱怨："中国台湾就像白薯，在火炉上烤，都是'温室效应'惹的祸。"

我低头向儿子解释："二氧化碳和其他温室气体，就像厚厚的毯子，把太阳的热能包住，造成地球温度一直上升。"儿子一脸惊恐："妈妈，地球真的会烧起来吗？"

"你瞧！有人穿着救生衣，就是因为温度上升，造成冰川融化，也许有一天我们会被海水淹没。"

儿子几乎尖叫出声："好可怕！盘古看到我们这样死掉，一定很难过。"

后来先生响应"少开汽车、多骑自行车"的要求，还骑着自行车载着小女儿转了一圈，我则牵着儿子，绑着黄色头巾，脸上贴着"糖琪轲德"环保贴纸，手中撑着伞，和各个环保团体沿着信义路走。拿伞的意义，是因为臭氧层破了一个大洞，紫外线太强。

儿子和女儿回来，还是心系他们的盘古。

儿子张手扬足，比了一个"大"字："妈妈，盘古用力顶着天时，就像我这样。"接着妹妹拿了一个板子给哥哥撑着，哥哥使尽力气往上苦撑的模样，真像写了一个"天"字。

我突然觉得这个"天"字，好动人。

"天是'一''大'人，那个'大'是指心灵的巨大。"我学着孩子，像盘古一样撑起整个天空时，才蓦然体会，盘古用尽力量将整个天地撑开，是敞开自己的心灵，用生命拥抱整个世界。

女儿指着天上的月亮："妈妈，这是盘古。如果月亮不见了，表

示盘古在睡觉。"我抬头仰望夜晚的星空，那一条条的银河，难道是盘古的头发，一束束飞升，撒成数不清的星星。在每一个夜晚，发出微弱的光芒，呼唤着人类的心灵？

"妈妈，盘古把他的生命给了地球，我们一定要好好保护地球。"儿子看着照片，脑子想的，嘴巴说的，依然是他和妹妹的盘古。

一种莫名的感动扑上来，温热了我的眼。世俗的大人如我，突然愿意相信一个神话，相信亘古的灵魂——盘古，用一种穿透古今的光芒，点亮孩子单纯的心灵，许地球一个美好的未来。

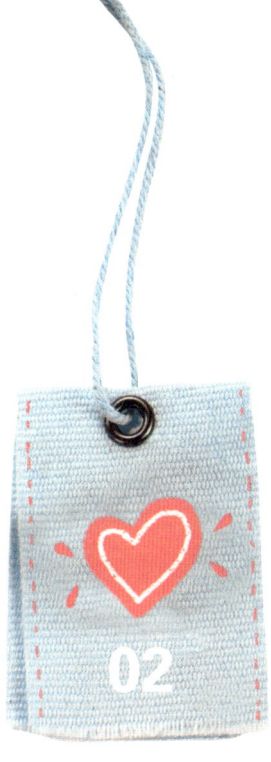

让孩子回到土地的摇篮，
倾听大自然

为什么孩子感受得到大自然的种种奥秘？好像他们的根须，天生就和土地紧紧相连一样。陪着孩子跨出去，在阳光下大声欢笑，外面的青青草地，才是孩子真正翱翔的家园。

 **大胆让孩子实践他们的哲学：
扫地篇**

　　孩子喜欢劳动、游戏，动手自己做。其实我们可以大胆地放手，让孩子试试看。

有一天，孩子想帮忙打扫庭院。

瞧！哥哥努力的劲儿，真叫妈妈感动。

连邻居家的小弟都受到感召，一起来帮忙。
咦，扫地的扫帚，什么时候变成勇士的大刀了？

生活本来就充满战斗。

先来个"桃园三结义"！

不小心重伤倒地，在所难免。

每个人，都要学习"倒下来"的滋味，
连"勇士"也难以幸免！

只要你愿意再出发。

必要时，好好睡一觉，接受大地的抚慰，
休息，是为了走更长的路。

老天爷总会给人意外的惊喜！

真的，只要你愿意努力，铁杵可以磨成绣花针，扫帚可以变关刀，土狗可以变成赤兔马！

等等，左边那位是花木兰还是女儿？
（我的天！）

总有一天，一定会淬炼成生命真正的
"勇士"！

生命难道只是一场游戏？
所以孩子从小就喜欢扮家家酒！

喂！妹妹的簸箕在扫哪里呀？不是要帮妈妈打扫庭院吗？

妈妈的结论："凡事重在过程，不在结果。"

大胆让孩子实践他们的哲学：
飞鸟晾衣篇

孩子的纯真和想象力是上天给我们最棒的礼物。

常有妈妈问我，为什么能忍住性子不生气，允许孩子弄脏衣服，甚至不怕家中物品被孩子糟蹋、折损？我们是要欣赏孩子的创意，还是要规范孩子，避免过于放纵？若是一味尊重孩子，会不会流于放任，无法管教？

我想，妈妈的心中必须有一把尺子。这把尺子的尺度是你自己慢慢摸索得来的。何时该宽？何时该严？每个家庭都不尽相同，关键在于你自己的个性以及家庭成员（另一半，或公婆）因孩子各种变化所达成的共识。倘若家中的物品并不昂贵而且早有瑕疵，何不放手让孩子当个艺术家，发挥想象力自由创作？孩子要不怕脏，才能尽情地玩，尽情地释放自己，大人何不为孩子留出成长的空间，

让孩子自由奔腾？

不知你是否细细想过，父母教养孩子所秉持的态度，多半取决于个人的人生观和生活风格。生命是活的，你会不断地成长，调整自己的步调，而你的孩子也会不停地长大，越来越有自己的主见和想法。因此教养的尺度不能一成不变，仍需兼顾孩子的变化做某些调整。

更重要的，还是你和孩子之间的沟通，只要彼此有流畅的对话平台，日子久了，就会建立一张适用于自家的教养蓝图，并取得家庭其他成员的共识。

万一无法达成共识，妈妈的内心还是必须拥有自己的一把尺子，掂量轻重缓急，感觉对了就继续坚持，感觉不对就赶紧调整，保持生命的弹性，在内心找到自己的平衡点，当妈妈就不会那么为难和辛苦。

飞鸟
晾衣

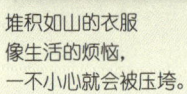

堆积如山的衣服
像生活的烦恼，
一不小心就会被压垮。

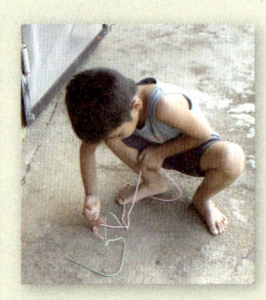

儿子说：
妈妈，别担心。
晾衣架可以解决妈妈的烦恼。

拉出生命的丝线，一端是孩子，一端是爱的引领

孩子成长的速度非常惊人。某一段时间你老是盯着他瞧，期待他快快长大，哪知才过几个寒暑，他就以你难以预料的速度飞快地超越你，一溜烟儿就不见人影。其实，孩子在呱呱落地之后，就以你想象不到的方式飞快地成长。如同种子初次破土，你的眼睛只看见它冒出小小的根芽，却不知它底下的根须早已迫不及待地深入土中，往各个方向拓展。这种迫不及待的渴望，是本能，也是蒙台梭利所讲的"敏感期"。孩子受到一种不可抗拒的内在力量推动，引爆他对外在环境的热情和探索，想张开耳朵去听、睁开眼睛去看、伸出双手去探触。你会发现年幼孩子的观察力特别敏锐，一丁点小纸屑、一只小虫甚至你换了发夹，不小心（或故意）闯了红灯，他都能细心地察觉，严厉指正你的错误。

女儿说：
妈妈我帮你把"烦恼"
一件一件地像衣服一样晾起来，
看清楚。

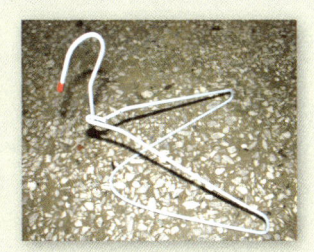

咦？这是什么啊？

呵，我懂了。
有时，我们要学习跳脱，
像鸟儿站在某个高度看
着烦恼。

如此急切地向外界伸出触角的欲望，正是孩子成长的契机，我们刚好可以借此引导，拉出孩子的生命丝线。线的一端是孩子（生命自身的本能），另一端则是"爱"的引领，牵引出孩子探看这个世界最初的生命网络。

引领孩子的方式因人而异。我的作法是，从孩子出生开始，就拉出这条生命丝线，踏出第一步。因为孩子出生后每一次洗澡，其实都在重温被羊水包围的初始记忆。每次帮孩子洗完澡，我和先生就会帮孩子做全身按摩，除了给予爱与安全感，另一方面也借由我们的双手，轻轻地帮孩子把全身的感官，一个一个打开，感受到自己小手、小脚、眼睛、鼻子的存在，并与外界产生互动与联结。

即使孩子才几个月大，我也把孩子视为有生命有思想有感觉的个体，跟着我听各种音乐和电台广播，甚至和孩子玩捉迷藏。孩子

必要时，
把烦恼抛到九霄云外，
张开翅膀，好好放松自己。

不过话是这么说，
我的宝贝们，飞鸟一只就够啦！

只是不会讲话，其他的感官都是敞开的，只要你在婴儿车周围发出各种声音，给予各种暗示，他的眼珠子会随着人影的移动不停搜索，专注地打开耳朵判断你的位置。有时我还会念书给孩子听，虽然孩子还不会表达，却感受得到大人自得其乐的喜悦。因此你必须念自己喜欢的书，才能把情感的温度传递给孩子。

　　就像口渴了，自然就想喝水。生命的驱动力会让孩子渴望成长。室内的玩具与吊饰、窄小的空间绝对无法满足小孩，你的脚步势必要由内而外，为孩子牵引出更广阔的世界。大自然正是最能满足孩子的好奇心，最丰富的学习教室。

在年幼的心灵，种下土地的丰饶、韧性，以及生命力

　　记得荣格在自传《回忆·梦·省思》中回溯生命的记忆，有一幕是这样的："我躺在树荫下的婴儿车里，那是一个明亮温暖的夏

哈哈哈，不过这么多只飞鸟随时待命，
妈妈有再多的烦恼都不怕啦。

日，天空蓝蓝的，金色的阳光穿过绿色的树叶。我刚刚睡醒，看见光辉灿烂的美景，有一种无法形容的舒适感觉。我看见太阳在树叶和花丛中闪烁，一切是那样的神奇、多彩、美好。"虽然两三岁的记忆，像缺了好几块的拼图，很难拼凑出完整的情节，但年幼的荣格记得"阿尔卑斯山脉沐浴在夕阳的红色光辉中，山全红了"以及"阳光穿过婆娑的树枝"等吉光片羽的影像，却让我有似曾相识的熟悉感。好像上天突然伸出神秘的根须，从荣格的回忆钻出来，爬呀爬呀，悄悄地深入我灵魂的泥土，和儿时的我取得奇妙的联结。

一直到现在，我都还记得年幼时躺在青青草地上，望着天空的白云如何幻化成各种身姿，它们时而追逐，时而混合，自己吞蚀自己，重新长出新的轮廓，变成另一个形体。你永远无法知道云朵会怎么长，因为它的生命永远在改变。年幼的我老是望着天空发呆，总觉得老天爷在云朵背后，藏着数不清的秘密。而这些秘密，只有努力从云层里露出脸来的太阳才会知道。

"有阳光的地方，就藏着生命的答案。"不管成长的历程遇到多少瓶颈，我的心总是向着阳光。对生命的追寻，从那个年幼躺在草地上的小孩，持续到成为两个孩子的母亲。如果我的人生蕴含着强韧的生命力，那么一定是年幼时，大自然的田野、阳光、蓝天赐予我的。

孩子初期的生命网络是你帮他拉出去的，别小看自己的付出，即使孩子只是小 baby，我们点点滴滴的付出，依然会在孩子心上留下难以磨灭的印记。更严肃一点说，我们是在创造孩子的记忆，你得问问自己，你想为孩子的童年留下什么，烙刻什么样的生命纹路？

回归田园的梭罗曾说："一个人想活得富足、坚强，一定要在自己的土地上。"孩子是土地初生的根芽，大地本来就是孩子成长的摇篮，唯有你引导孩子走入自然，孩子才会在生命的土地上，储存日后成长的能量。

只要天气允许，我便推着婴儿车带孩子到户外散步，晒晒太阳，吹吹风，感受风拂过脸上清清凉凉的滋味。尤其在晴朗的春天，刚刚解冻的大地总弥漫着青草的味道，等待盛开的花苞仿佛在下一秒就会绽放这一季所有的灿烂。孩子尤其兴奋，总是睁着骨碌碌的大眼，好奇地东瞧西望，像路旁的小树，体内不断有新鲜的树汁汹涌着，催促他赶快长大、长高，瞧瞧这个世界究竟是什么样子。

等到孩子再大一点，我就带他们到野外探险，训练他们的观察力和胆识。五颜六色的花朵是最天然的色彩：用手触摸树

皮的质地和树的叶面，可辨别粗糙、光滑、细致乃至轻轻瘙痒的刺痛……各种抽象无法言说的触觉。在一天不同的时刻，大清早、日正当中、夕阳斜照、晴天、雨天，甚至在不同的季节，只要兴之所至，我便带着两个小孩坐渡轮享受在河上航行的乐趣。有时纯粹只是走路，不带任何目的，一走就好几个钟头。因此，儿子在四岁时就可以独自爬好几百层的山路阶梯，锻炼了绝佳的耐力和韧性。有一回，孩子还提议下雨天撑伞出去，偷偷观察昆虫鸟儿雨天时有什么休闲娱乐，没想到竟意外地发现，有几只鸟儿老是闭着眼睛在电线杆上淋雨不肯回家，不知是否和朋友在闹别扭，还是玩兴大发趁机享受淋雨的快感呢？

孩子在家中会哭闹，多半都是无事可做或无法满足学习的欲望。很多父母都发现，再怎么昂贵的玩具，孩子玩了几次就不想再玩，但玩水堆沙堡却怎么也玩不腻。孩子在大自然里，全部的感官都是打开的，生命的本能会驱使他忙碌地探索，反而没有时间哭闹。

我总是一边陪着孩子散步，一边采集各种吹落在路边的花果和种子，回家后孩子便自由涂鸦，发挥各种创意。有时，他们会画出大冠鹫飞行的路线图，有时他们则依野外的采集物品做各种造型设计，每次望着孩子拾回的种子，内心总有一种莫名的澎湃。诚如李察森书写梭罗的心灵生涯所提出的观点："研究自然与认识自己，最后终将成为一体。"瞧！有些种子藏在干枯的果壳里，轻轻扭转就会从壳里弹跳而出，干枯的死寂与无限的生机居然互相依附，共存共荣，让我自此不敢小看干枯的外表。孩子最喜欢寻找凤仙花的种子导管，轻轻一触就像手枪发射子弹，一个一个炸开，让你毫无心理准备就一枪中弹，这种出其不意、充满刺激的动感，连我也百玩不厌。

记得儿时最喜欢吹蒲公英的种子，年少的我们就像蒲公英毛绒绒的小球，总以为紧紧地相依相偎就可以天长地久，哪知被岁月的风轻轻一吹，大家就随风飘扬，各自走向不同的命运。长有翅膀的枫树种子最令人羡慕，它总以最优美的身姿出现，仿佛飞鸟张开羽翼，在大家阵阵的惊叹声中，开启自己的旅程。

处处可以存活的是野草，它的生命力太强悍，走过寒冬酷暑，却依然傲然挺立。相较之下，把孩子关在家里，就如温室里的花朵，看到的永远只有温室里的天空，禁不起任何风吹雨打。陪着孩子跨出去，在阳光下大声欢笑，外面的青青草地才是孩子真正翱翔的家园。

云的心，孩子知道

这一幅图画，是儿子学龄前的图画。

儿子说："划船比赛，太紧张，一不小心，海浪就打到云朵。"仔细一看，唉呀呀，被海浪打到的乌云皱着眉头，明明疼得哇哇叫，却抿嘴不敢出声。

侥幸没被海浪打到的乌云，还嗤嗤地偷笑，继续开心地为孩子加油，充满暖洋洋的"人情味"。

有人说，孩子的涂鸦画是透视孩子心灵的 X 光片。

孩子看待这个世界的眼光丰富而蕴含生命，他的心是和大自然

紧紧相融的。用力划桨的选手、高溅的海浪、天上的云朵、生动的表情、几个简单的线条里，都呈现了孩子看待人事物的眼光，竟是那么"立体"而鲜活。

反观我们大人呢？现实世界的我们，是不是只在乎划船比赛的名次？除了名次与竞争，我们的眼里还剩下什么？

真心说美丽

儿子非常喜欢蝉，每年夏天出去散步，儿子总是捡了一口袋的蝉壳。

"好了，不要再捡了。家里已经很多了。"以我的眼光来看，每一只蝉壳看起来并没有什么不同，只不过是死寂无声的躯壳罢了。

"妈妈，你不喜欢蝉壳吗？"

"嗯……我不喜欢。"犹豫了一下，还是决定说实话。儿子露出讶异的表情，继续追问："妈妈，你喜欢听蝉在树上唱歌吗？"

"不喜欢，有时我觉得有点吵。"话一说完，警觉到有点大事不妙。

"妈妈，你怎么可以这样！"儿子的神情看起来有点激动。

"对不起。妈妈从来没有跟你说过我喜欢蝉。妈妈的感觉和你不一样。"

　　"但是，妈妈你不觉得这些蝉壳很漂亮吗？"儿子不死心地把口袋里的蝉壳一只一只掏出来，小心翼翼地放在地上，想让我看个明白。

　　"嗯，很漂亮。"

　　"那你刚才为什么说不喜欢蝉？"

　　"因为我怕你难过，所以只好说很漂亮。"哎呀！孩子怎么那么难搞。

　　"妈妈，我不喜欢你这样。"

　　"对不起。"

　　"妈妈，我不要你跟我说对不起。"

　　儿子蹲在地上指着那些蝉壳说："你看，这些蝉壳，每一只的长度和高度都不同，甚至连眼睛看起来都很特别。还有，你看这一只已经断了两只脚，所以没办法站起来。"接着，儿子把蝉壳一只一只翻过来，要我蹲下来，观察蝉壳腹部的纹路和色泽，还有蝉前脚上的爪。

　　我揉揉眼睛，突然有一种说不太清楚的感觉。

　　"妈妈，你还记得蝉壳的背部为什么会裂开吗？"

　　"记得！因为蝉必须脱壳而出，长出翅膀啊！"

　　"妈妈，你还记得去年爸爸抓到一只蝉，后来在我们家脱壳羽化的事吗？"哇！我差点忘记这件事了。想起去年我们全家屏气凝神，掩口不敢尖叫，静静观察一只刚从土里爬出来的蝉，在家里的盆栽上脱壳羽化，那样的情景真叫人既紧张又兴奋。

"妈妈，你知道吗？爸爸曾对我说过，蝉脱壳羽化之后，就会一直努力地唱歌，而且唱得很努力。因为它们交配产卵之后，马上就会死了。"我点点头，猛然想起蝉的幼虫在漆黑的地底下，要蛰伏好多年才能爬出地面。但在天空飞翔的日子却非常短暂，才一个星期左右而已。

"妈妈，当你想起这些事，会不会觉得蝉在树上的叫声特别好听？"

"嗯，蝉的叫声真的很好听。"我红着脸点点头。突然发现，自己那颗在柴米油盐翻滚下变得世俗又僵硬的心，莫名地在瞬间软化了。

"现在你觉得这些蝉壳漂不漂亮？"儿子故意瞪大眼睛，促狭似的"逼"问我。

我哈哈大笑："嗯！蝉壳真的很漂亮。"这次，我可是真心说的。而且，还开始期待，在每年夏天听到那一声声的蝉鸣，期待看到一个蛰伏后的生命，引吭高歌。

家有虎头蜂

《风中奇缘》的柳树婆婆曾唱出经典旋律："用心聆听心灵的声音，你才会恍然明白，大自然里的每一朵花，每一棵树，都有自己的名字、灵性和生命。"儿子和女儿从小在山间田野长大，对他们而言，每天上演的就是一幕又一幕的生命剧场。不管是会唱歌的小鸟，还是会说话的蜜蜂，都是他们的好朋友。

儿子两岁时，妹妹还在地上爬，他很爱观察昆虫，妹妹则懵懵懂懂。有一回，儿子在野外发现一只很特别的小虫，兴奋地跑过来，向我要饲养箱，准备带回家饲养。哪知一回头小虫却不见了，儿子伤心地四处寻找。

当我们找得满头大汗时，突然发现妹妹的嘴巴在嚼动。他赶紧叫妹妹把嘴巴张开，当他看到心爱的小虫，已被妹妹五马分尸时，伤心地在路旁号啕大哭，而在一旁看呆了的我，简直如晴天霹雳，赶紧抓起儿子，抱着妹妹冲回家刷牙漱口。

等妹妹长大，可以和哥哥一起出游时，两兄妹在野外散步，最喜欢听小鸟唱歌，感性的哥哥喜欢安安静静地闭着眼睛听，他说："闭上眼睛听，会感觉小鸟的叫声离我们的心更近。感觉好棒！"爱热闹的妹妹，则不以为然："闭着眼睛听，都看不见小鸟，小鸟离我们更远，我真不喜欢。"还睁大眼睛，努力搜寻鸟叫声的来处。

两个孩子的思维逻辑和性情迥然不同，真让我左右为难。为了公平起见，只好故意"睁一只眼、闭一只眼"，陪着儿子女儿一起享受小鸟的歌声。听着听着，觉得小鸟不像在唱歌，反而在哈哈大笑，取笑我这个妈妈的模样。

还有一次，儿子在野外发现一只大天牛，他开心的笑声吸引了路旁的游客围观。有人故意考儿子："你知道它是公的还是母的？"爱养昆虫的儿子有问必答："触角长长的，超过身体三分之一的是公的。所以这一只是母的。"

儿子这么一说，围观的人更加好奇："你打算怎么养它呢？"儿子不假思索，回答道："天牛喜欢吃水果，我养几天，就会把它放回桑椹树，因为妈妈说，大自然才是昆虫的家。"

我正准备带儿子离开，不知谁多问了一句："你这么喜欢天牛，

放它走会不会舍不得？"儿子停下脚步，失望地说："当然会啊，所以我希望再抓一只公的天牛，一起带回家养。"随后，儿子的眼睛亮了起来，放声大笑："对了，我还要摘一些野花插在饲养箱旁，两只天牛闻到浓浓的花香，看到美丽的花，就会想要交配，生小宝宝。"在一旁的我听了，脸红得发烫，只听到有人说："你儿子好浪漫。"

其实儿子不是浪漫，而是求知欲很强，抓到一只公的，一定会比对昆虫图鉴，再抓一只母的，看看两者有什么不同。有一年夏天儿子无意间发现一窝螳螂蛋，还孵出好多小螳螂。不过，照顾螳螂非常辛苦，因为螳螂只吃活的食物，每天要去野外捉小蚂蚱给螳螂吃，又累又残忍，最后只好把螳螂放归草地，让它自己捕捉食物，用自己的方式长大。儿子还养过蜗牛，一开始是为了观察蜗牛的习性，后来儿子心血来潮竟在地上画一条线，自己当裁判，让每一只蜗牛在同一起跑点竞走。哪知蜗牛的慢超乎儿子的想象，走了半天还在原点附近。最后儿子失去耐心竟用他的玩具车各载一只蜗牛互相比快。哪知坐在玩具车里的蜗牛缩在壳里，吓得不敢再探出头来，仿佛在抗议儿子不尊重它的慢。

"蜗牛，对不起。吓到你了，请回家吧。慢走哦，不送了。"后来我和儿子一起把蜗牛放回它本来的栖息地时，内心对蜗牛实在充满歉意。

为了让更多昆虫飞进家里和孩子当朋友，家里没装纱窗，让昆虫自由来去。有时候，连蜜蜂都飞进来了。爱养昆虫的儿子养了几天，想放蜜蜂走，想不到蜜蜂爱上了我们家，经常在我们的屋子里穿梭，怎么赶都赶不走，和儿子女儿成了好朋友。

半年后，有一天夜晚，家里居然一口气飞来了二十几只蜜蜂，俨然要在我们家筑巢，把我们吓坏了。先生一看大事不妙，只好关上电灯，点燃火把，只留下一只，其他蜜蜂则统统赶跑。

我们请教对蜜蜂有研究的朋友，如何与这种蜜蜂共居一室，甚至共同生活呢？

没想到，朋友对照图鉴后竟发现：与我们共处半年的蜜蜂是毒性很强的黑腹虎头蜂。为何它们一直没有攻击我们呢？

朋友开玩笑地说，恐怕黑腹虎头蜂爱上我们一家人了，因为它熟悉我们家人的气味，知道我们不会伤害它。但到我们家拜访的朋友，对黑腹虎头蜂而言是陌生人，可能会受到黑腹虎头蜂的致命攻击。

儿子和女儿只好画了一张图，写了一封信，贴在阳台上向黑腹虎头蜂告别，儿子说："虎头蜂，记得，天空才是你的家。"女儿说："天黑了，虎头蜂要记得回到林子里睡觉。"

黑腹虎头蜂虽然就此告别我家，我这个妈妈却免不了有大难不死的余悸，于是找个机会跟孩子说："大自然是一个生命剧场，有欢笑，也有泪水，不要随意伤害大自然的生命，但也要注意自己的安全。"

想不到儿子说："妈妈，我知道了。在大自然有一些颜色鲜艳的花朵，虽然美丽，却有毒性，是一种警告色。"我忍不住又补了一句："对啊！美丽的东西，不一定都是好的。"

作为孩子的妈妈，因为知识不足，常常不知道怎么做才是对的。有时，我宁可相信，黑腹虎头蜂是因为被孩子的天真和善良所感动，才爱上我们家。

其实，我真正想说的是，如果这个世界上致命的有毒有害的事物都可以因内心的良善而化解，该有多好啊！

母亲的告白：妈妈最怕毛毛虫

儿子很爱养毛毛虫，偏偏我最怕毛毛虫。只要会蠕动的东西，都足以让我浑身起鸡皮疙瘩，赶紧逃之夭夭。但我是孩子的妈妈，理智总会提醒我："不可以因个人的好恶而抹杀孩子的兴趣和天性。"所以，我总是按捺着内心的恐惧，陪着孩子到野外找毛毛虫，还让他们带回家饲养。

不过，每一次经过儿子养毛毛虫的饲养箱，我总是紧闭着眼睛，眼不见为净。不管两个孩子说毛毛虫有多可爱，我都不为所动。

有一天，一件令人惊奇的事情发生了。"妈妈，你看！你不要害怕，毛毛虫已经不会动了。"儿子大叫。

"它死了吗？"我的语气因为窃喜，而带着一丝罪恶感。

"妈妈，它应该变成蛹了，我要等待它变成蝴蝶。"儿子信心满

满地说。

"变成蝴蝶？"记得小时候看过蚕宝宝变成蛾，却不曾看过毛毛虫变成蝴蝶。我和先生都不大相信，一个娃儿能有什么能耐，把毛毛虫养成蝴蝶？

"妈妈，只要把它放进冰箱五天，取出后，再用灯光照它，它很快就会变成蝴蝶了。"儿子说得理所当然，我却听得满腹狐疑，从没听说过有这种养法。

"哥哥，不行哪！毛毛虫会被冷死。"不止是妹妹，连在一旁的先生也频频点头附议。

儿子很勉强地接受我们的建议，隔天却见他哭丧着脸说："妈妈，都是你们！变成蛹的毛毛虫被一群蚂蚁咬死了。你们下次一定要听我的。"说着，豆大的泪珠一滴一滴地从儿子的脸颊滚下来，连我这个骨子里一点都不喜欢毛毛虫的人，看到毛毛虫变成蛹死去的残骸，都莫名地感到难过。

儿子抱着女儿，合力将蛹放进冰箱里。

究竟是孩子对毛毛虫的感情感动了我？还是生命在蜕变之前，总是充满脆弱与变数？

为了弥补这个过失，隔天我马上带着儿子和妹妹四处寻找毛毛虫，皇天不负苦心人，竟然在菜圃里被我发现一只已经变成蛹的毛毛虫，我如获至宝地把它带回家。

这次，我们完全遵照儿子的方法，把毛毛虫的蛹放到冰箱五天，取出后，再用灯光照着蛹直到它蜕变成蝴蝶为止。我们都很紧张，尤其是我，我绝对不敢承认，自己因为迷糊把蛹放了七天才拿出来（当时儿子对日期还不太有概念），我一直祈祷毛毛虫不要因此被冷死。儿子则是全天候猛盯着蛹瞧，一会儿调整灯光，一会儿放音乐给它听，妹妹则是每天对着毛毛虫自言自语，老公早就准备好摄像机，等待着毛毛虫变成蝴蝶的那一刻。

几天之后的一个中午，蝴蝶终于破蛹而出，原来是一只漂亮的纹白蝶，我们忍不住欢呼加上尖叫。生命真是太美妙了，一只平常让我退避三舍的毛毛虫，蜕变之后居然那么令人着迷！生命不是绝对的，生命需要等待，不能只看到表象就全盘否定，这是孩子给我的收获。

毛毛虫变成蝴蝶后没几天，儿子又有了新点子。"妈妈，蝴蝶实在太漂亮了！我想要养蝴蝶。"

"可以啊！但是养两天之后就要放它走。天空才是蝴蝶的家啊！"儿子乖乖地遵守约定，但有一件令我烦恼的事情发生了。

蝴蝶飞走了，却在饲养箱里产了一堆卵。天啊！那一堆蝴蝶的卵以后会变成一堆毛毛虫。儿子和妹妹异常兴奋，我则全面备战。

我比孩子更关心的是，那一堆卵究竟什么时候会孵化成小生命爬出来。"一窝小毛毛虫"真是我的噩梦啊！

终于，有一天夜晚，我听到儿子和妹妹大喊："妈妈！太棒了。毛毛虫出生了，好像一堆小蚂蚁，好可爱哦！"我看着那一团蠕动的小小虫，从饲养箱爬出来，眼看着就要爬到我的手上，再怎么伟大的母爱都抵挡不了我对毛毛虫的恐惧。孩子的爸爸刚好不在家，我只好火速打电话向孩子的叔叔求救。

"杜比，我们必须知道毛毛虫的妈妈是谁，才知道用什么叶子喂食。否则毛毛虫会被饿死。"孩子的叔叔急中生智，果然有办法。

"好啊！叔叔，我把那只在饲养箱里产卵的蝴蝶妈妈画出来。请叔叔帮我比照图鉴。"儿子居然没被叔叔抛出来的难题打倒，那个努力画画的背影再度感动了我这个最怕毛毛虫的妈妈。

最后，叔叔把儿子凭着当初模糊印象画出来的雌蝶和昆虫的图鉴详加比对。想不到儿子画的毛毛虫妈妈，经过一页一页的比对，居然是一只"公"的紫红蛱蝶。大家都哈哈地笑倒在地上。

毛毛虫事件终于落幕了，在找不出毛毛虫的妈妈是谁的前提之下，为了不至于让毛毛虫饿死，儿子终于同意叔叔把那一堆毛毛虫带去学校进一步研究。

而我，找了一个夜晚，对着儿子真心告白："妈妈真的很胆小，最怕毛毛虫……"

当太阳爱上一个小女孩

　　女儿画了一幅画："太阳爱上一个小女孩"。引发我做了很多联想。我便以孩子的图画，进行二度创作，写下这篇童话（见下图）。学生维尼看了我在微博写的童话《当太阳遇见爱情》，留言给我："老师，会不会在几年后，太阳真的为了爱一个女孩离开了，那是不

当太阳
遇见爱情

天上的太阳，
发现自己爱上一个女孩。

那女孩甜得像朵花，
太阳好想拥有自己的爱情。

是真正的世界末日呢？"

学生的想象力真是丰富，我回信给维尼："有人为爱重生，也有人为爱毁灭；人生的情爱，有很多结局。不管是哪一种，都要放在自己的成长上，努力活下去。别小看自己，每个人的心念集结起来，一个、十个、千个、万个……也许会影响世界末日，甚至会影响整个地球的终极命运喔！当然啦，也希望我们的太阳为了我们，能够爱得'理性'些。"

关掉计算机后，脑海里突然闪过一个念头：我对孩子的爱，理性吗？有没有父母在爱孩子的路上，疼痛受伤，抓不到爱的分寸？或者爱孩子爱得太过炙热，像太阳一样把小女孩烫伤了？

回想全职照顾小孩初期，很多人认为我以前是初中老师，一个人可以搞定四十几个青春期叛逆的孩子，全职照顾两个年幼的孩子，一定更得心应手。没想到，刚好相反，当时老大两岁多正顽皮，老

太阳想和女孩结婚，
有个甜蜜的家。

他决定鼓起勇气，
向那女孩告白。

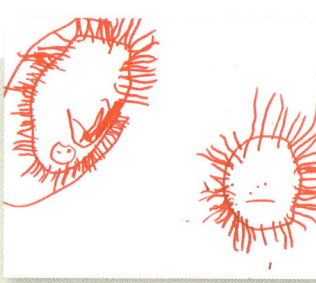

没想到，过于炽烈的阳光，
却差点伤了那个女孩。

二还嗷嗷待哺，每天都忙得焦头烂额。由于过度紧张，情绪老是随着孩子的表现起伏不定，加上三餐不定时，又吃孩子吃不完的剩饭剩菜，吃饭总是囫囵吞枣，有一年的时间，常闹胃病，身体也出现了各种症状。虽然经过检查并无大碍，却总是胡思乱想，怕自己无法长命百岁。

也许是生怕两个年幼的小孩失去母亲。或者可以说，我因为太爱孩子了，反而回过头来爱自己，希望自己可以活久一点。

我开始搜集养生的相关信息，也通过静坐、气功，调养自己的身体。却在这个过程中，发现自己累积了很多习气，造成生命有形或无形的负担，打坐时要不时面对从生命底层冒出来的痛楚。

这个"痛"，表面上是身体的酸痛，实际原因则是生活态度和饮食的不规律。我不断和自己对话，猛然发现生活态度牵涉内在小我

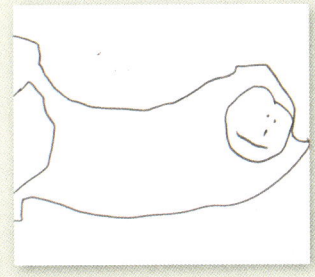

太阳好难过，为什么自己是太阳？
它很讨厌自己。

它只想当一个普通男孩，
有一个亲密的人陪伴。

伤心的太阳，不见了。
大地一片枯竭，什么
都没有了。

的心灵，饮食则和整个大环境息息相关。

"只要活着，便要好好善待自己的身体。因为你欠身体的，无论心理或生理上，总有一天，都要付出代价。"我的生活，从正视生命这个"痛"，开始产生转变。

这期间，有一本写一名美国医生在澳洲沙漠的心灵之旅的书，给我很大启发。澳洲原住民部落认为，我们的身体出毛病都是有原因的。身体的疼痛会说话，那是更高层次的永恒意识，通过肉体的疼痛，和我们个体做进一步的沟通。唯有身体的运作缓慢下来，我们才有机会停下脚步，找出真正需要治疗的伤口，可能是生活的土地、或是伤痕累累的心灵……只要我们愿意敞开心胸，听听体内的声音，便会了解里面发生了哪些事。

诚如书中所言："每个人离开世界时，带走的是一张成绩单，上

没有花，没有树，
女孩不再出门，失去了欢笑。
望着女孩的家，太阳突然知道自己该怎么做了！

它回到天上，重新温柔地拥抱大地；
它爱所有人，爱花儿、大树和不起眼的小虫；
也包括那个，一直被自己深深爱着的女孩。

面记录这一生每一分每一刻的情感反应。"因此，我开始通过写日记，反省自己内在的情感情绪和身体病痛的种种关联。

我发现自己给自己太多压力，太过紧绷，加上先生白天上班，公婆又不在身边，娘家又离得太远，无法找到帮手让自己喘口气，成天猛盯着两个孩子，对自己和小孩都不是很健康。有个声音跳出来告诉我："自己本来就是个大而化之的人，应该顺着自己的本性，掌握大方向教养小孩，而不是一天到晚盯着小孩，用错误的方式爱孩子，让自己和孩子都无法呼吸。"

经过自己不断的调整，并和另一半沟通，渐渐地，我摸索出一些具体的做法。譬如：

1. 安排小孩的作息，建立生活的秩序

孩子有固定的作息，身心与情绪会比较稳定。尽量让孩子对自己一天的生活，何时该做什么事，有一个明显的概念和轮廓。譬如吃完早点就出去散步，散步回来就画画，听故事；接下来可看三十分钟 DVD……吃完午餐，一小时午睡……时间可视情况伸缩调整，等孩子大一点之后，自然就会自己安排作息，为自己负责。

2. 爱，不是让对方揣测你的心思，而是向对方表达你的需要

即使孩子还小，我也会向他们明确表达我的需要。譬如：妈妈

也需要休息、看书，他必须学会等待和体谅妈妈，否则妈妈会难过，也会生气。

这种表达有益于妈妈身心健康。到现在两个孩子都知道妈妈的需要，包括妈妈喜欢吃什么，有什么优缺点，需要哪些协助等。

3. 孩子专心看书或自得其乐地玩耍时，就把握时间做自己想做的事

孩子其实很需要专注，我发现有些妈妈很喜欢在旁边给意见，反而干扰孩子的思考。也有些妈妈忙着帮孩子拍照写成长记录，把自己搞得疲惫不堪，甚至觉得自己没有半点"成果"，产生无谓的罪恶感。其实不管是全职妈妈还是职业女性，照顾孩子的心理压力都很大，应把握时间休息或做想做的事。记录孩子的成长，应是油然而生的喜悦，而不是妈妈的家庭作业。

4. 和孩子一起录故事，制作故事绘本

孩子喜欢重复，好笑的故事听一百遍也不厌倦。所以我常用录音笔，把故事书或他们自己讲的故事录下来，一方面减轻自己经常要说故事的负担，一方面也记录孩子童年的想法和声音。有时候白天太忙碌，累积很多的想法。我也会趁孩子睡觉时，把自己心里想说的话录下来，隔天放给他们听。或者把孩子的图画编成故事，进行二次创作。

5. 善用公共资源

图书馆有各种图书和影音的 DVD，其实可以加以善用。我们一家四口总共有四张借书证，可以借四十本书。我总是带孩子去图书馆，借自己想看以及期待孩子看的书，加上孩子自己比较喜欢的书，三者加以混合一起借回家。非常自然地，就把好书介绍给孩子。

另外，善用城市中的美术馆、科学馆、天文馆等主题馆和各式展览，也一样可以帮助孩子多样化地伸出生活的触角。

6. 在家里设计各式学习的角落

把家里布置成足够满足孩子学习欲望的角落，可以避免孩子无事可做，或老是想看电视和卡通片。

有的角落是孩子的秘密基地；有的角落适合孩子听故事；墙壁的一隅，是涂鸦墙，孩子可以自由作画，画满了再重新刷上油漆；阳台不怕脏，是实验区。孩子喜欢做实验，我总是到图书馆借阅各种科学实验的相关书籍，回家后孩子就会观察家里有哪些实验的器具，材料不足的部分就用笔画下来，拿着手中的画去杂货店购买。每次做实验，孩子总是期待实验的结果。第一次先带着他们一起做，接下来孩子就记下实验的步骤自己操作，在游戏中思考探索。

7. 妈妈也需要成长，才不至于和外界脱节

妈妈脑海里所思所想都只是小孩和家庭琐事，日子久了很容易和外界脱节。因此一星期中，我总会找一个晚上"休假"，出去透透气，听演讲。每次从外面回到家里，都仿佛重新充电一般，又充满活力，觉得孩子特别可爱。

听说澳洲原住民部落内心有所要求时，都默默以"心对心""灵对灵""个体对结合生命的宇宙"，以祈祷、沉思的方式进行沟通。我也通过静坐、冥想、默祷，一点一滴地反省，修正自己过于急躁的个性以及吃饭的速度，也渐渐调整自己的作息和做法，每天清晨推着婴儿车，带孩子出门运动。后来，胃病竟无药而愈。

这个体验让我意识到，内在的心灵就像一个小宇宙，如何运转取决于个人的起心动念和生命的修行。养生正是"涵养生命"，这个生命，小至个人大至整个宇宙，都看自己如何看待。当你愿意由内而外关注整个大环境大宇宙如何运作时，便能从个人养生，注意自己的饮食习惯，进而聆听土地的声音。

想想，一个人身上的能源、能量，大多从食物摄取而来，同样吃一顿饭，如果吃进简单无毒的食物，身体不必启动太多能量便能分解；如果吃进很多垃圾食物，即使耗尽身体的能源，也不一定消化得了，还会将毒素储存在体内。食物来自生存的土地，如果我们没有以健康的方式滋养土地，土地绝不可能长出健康的作物喂养我们。没有健康的环境，人也不可能健康。因此，真正的健康之道，应在于全方位提升自己（小我）和环境（大我）的能量。也就是，不仅要从饮食觉醒，吃得健康，活得健康，还要提升自己的心灵，从小我扩大到大我，和外在的环境融为一体。

为了孩子的健康，也为了留给下一代更美好的净土。后来我一步一步走向绿色环保。在关怀土地实践的路上，最令我感动的是，不仅另一半，连两个小孩都在无形中被潜移默化。孩子担心地球会爆炸，写信给土地公、动手做豆浆、亲手挖一条小溪甚至编一个童话，我发现纯真的孩子比大人更能倾听土地的脉动。

走过这段心路历程，我突然发觉，养生若只是着重延长个人的生命，毕竟是狭隘的。因为生命的变数太大，没有人可以保证或决定下一刻。因为爱孩子进而爱上了生活的土地。从个人的小爱，看见生命的大爱，我反而感觉自己活得很踏实，而且是真正地活着。

暴风雨中也有无限生机

　　不知你有没有注意到，孩子图画中的人物，像动物也像小精灵，而画中的树和植物，每一朵花，每一片草叶，都充满生命的悸动。在童心的世界里，似乎所有的一切，都以某种形式的"律动"来表现自己，甚至不分彼此，互相融合。我仿佛感觉到树的汁液，不停

儿子曾经画了一幅图，取名为"暴风雨"。多年来，我一直看不懂这幅画。暴风雨应该满目疮痍，为何绿油油的画面，看起来生机无限？逐渐步入中年后，我终于找到了答案。

原来，儿子的生命中有一棵树，不管风雨多大，都不会轻易倒下。

想尽办法也要抬头挺胸，活着。只要"根"还在，没什么好怕的。

地在树身流动，树不仅有眼睛、嘴巴，还有心跳和活生生的感情。

为什么孩子（尤其是年幼的孩子）看得到，也感受得到大自然的种种奥秘呢？好像孩子的根须，天生就和土地紧紧相连。

再回头想想，咦？哪个孩子不喜欢玩泥巴、玩水，在草地上奔跑打滚呢？（除非受到父母过度的保护和压抑。）回想年少时，大自然不就是我们大型的游乐场吗？这个游乐场天然免费，生动丰富，还有无限的创意，怎么玩也玩不腻。

奇怪的是，长大后的我们，脱离了在泥巴里打滚的岁月后，连带地，也失去和土地的联结，忘了如何跟大自然说话。这十年来，我陪着两个孩子在大自然中探索，通过伯尼·S. 西格尔医生在书中的引领，加上这几年所看的书，发现我们其实可以通过观想，还原自己，并从生活的这块土地获得能量：

想象自己走进一座美丽的花园，享受天然的花香，听到大自然

当生命的阳光再度露脸，
小树芽重新抽出新叶，
你就会恍然大悟：

暴风雨，只是一场试炼，
风雨过后，可能"满目疮痍"，
也可能"生机无限"。

的鸟叫虫鸣或其他的动物叫声。摘下一朵花，摸摸它的花瓣，感觉它的存在，观察它的独特性与它的美，看看这与你的独特性与美是多么相似。（停顿几秒，让影像活生生地出现在自己的眼前。）

接下来，把自己想象成一颗种子。把自己种在很温暖的泥土里，就在地面下一寸处。你感到自己被水滋润，外面的阳光温暖了你的身体。观察自己如何突破那颗种子，然后成长、开花，睁开眼睛看清楚整个发生的过程。（停顿一段比较长的时间，有些幻想需要花一些时间，但你会因此获得一些"活"的信息。）

等你已经开花，变成那美丽的花朵了，在自己的心里找一个地方把它藏起来，使它成为你的一部分。

想象此时在你前面，有一个巨大的彩色气球，下面挂着一个篮子。爬到篮子里去，把气球放开，让自己随着气球起飞。（恢复一种天真的童心，你会发现自己没什么好怕的。）这颗彩色的气球带着你，不断地往上飘扬，穿过云层并越过鸟儿，想象自己听到来自整个大自然美妙而和谐的琴音，这些声音使你感到平静与祥和。你越飘越高，最后终于可以像航天员一样看到整个地球，看到自己是整个大宇宙之下的小宇宙，是整个生命网络的小小一环，地球上各种和你不一样的小花和绿树，正向你挥舞着一条又一条透明无形的生命丝线，把你和宇宙间的所有生命紧紧牵系。你感觉自己和整个生命网络紧紧相连，不仅受到保护，而且愉悦、满足。

在你乘坐的篮子里，有一张纸和一支笔，把你生命里所存在的冲突与问题都写下来，你感觉自己被理解、被接纳，然后把它揉成一团，抛向星空，把它丢到你的身后去。所有的问题都被抛开后，配合你的呼吸，在一吸一呼的吐纳中，让紧绷的情绪慢慢放松，想象你自己在整个宇宙间飘浮优游，是多么轻松自在。（深呼吸，直到自己全然放松。）

"慢慢地，你和彩球缓缓地从空中降下来，慢慢地降到原来的地方，跨出篮子之前，打开身体的每个细胞，让里面填满爱，让身体每个细胞都向爱张开。你会感觉自己获得了一种力量，一种来自大自然的能量，重新注入你自己的体内。"

当了妈妈之后，不管孩子白天的表现如何，每晚入睡前我都会亲吻他们表达爱意，然后通过这样的幻想，洗净一天的疲惫。隔日清晨，我总会比家人提早一小时起床，做晨祷和笔记，一方面把今天最想做、最必须做的事情一一写下来，另一方面也让自己在每天的清晨，像新生的种子抽出新芽，重新启动爱的能量，开始一天的生活。也许你也可以和我一样，按照伯尼·S.西格尔医生的指引，融入自己的想象力，把自己还原成一颗种子，回到生命最初的摇篮，同时也随着种子的成长、开花，理解你的孩子如何长大。

孩子不需要成人的框框

常听一些妈妈说，自己什么都不会，要如何教小孩？其实父母并不需要十八般武艺样样精通。打个比方，我和另一半都不会跳舞，我也从来没有教孩子五线谱、打拍子，孩子却有自己的生命节拍，跳出了自己的生命旋律。

两兄妹从小就喜欢看迈克·弗莱利主演的《火焰之舞》，常常跟着 DVD 里面的舞者，手舞足蹈，有样学样。看着、跳着，后来只要音乐一放（应该是说，不管放任何类型的音乐），他们都会跟着婆娑起舞，甚至自编舞步、制作舞蹈的道具。

有时戴着面具跳舞（面具是他们自己画，自己剪的），还向我借晾衣棍当耍刀用的道具，把锅盖当锣鼓，连浴巾也拿来当披风，抱枕还可以抱着一起跳，再加上自己的口琴（当然是乱吹的）伴奏，简直像个超级劲爆的专业舞者。更妙的是，有时我恶作剧，故意把快节奏的摇滚乐，偷偷换成抒情的曲调，兄妹俩却照样处变不惊，默契十足地一起放慢舞步，不论脸部的表情或眼神，都可以迅速融入其中，陶醉忘我。

当然孩子也会有自己的偏好。譬如：斯文的儿子居然喜欢动感的摇滚乐，配合单脚旋踢，甚至还自创舞步耍特技，双脚跳起来快速在空中旋踢，尽管摔了很多次（一定超痛），却依然乐此不疲；女儿则喜欢温柔婉转的旋律，按照自己的节奏慢慢跳。别看她平常个性爽朗，不拘小节，跳起舞来可像个文静优雅的小姑娘，让我大开眼界。

每一首歌曲结束时，孩子还会依曲调的氛围，做一个特有的结束动作：有时趴在地上，有时金鸡独立，或者像个威武的武士，把勇敢和温柔融在一起。虽然孩子还小，最后结束的动作，却一点也不马虎。他们喘着气，心脏咚咚地跳，像个敬业的舞者，凝聚自己全部的能量，只想在结尾的瞬间，倾尽全力在舞台上画上一个精彩

的句号。

每次在旁边当孩子的超级粉丝，总觉得孩子的演出那么动人，自然不做作，是因为他们在舞蹈的律动里，找到了自己生命的旋律。孩子真正需要的是自发性的乐趣与大人的欣赏，而不是大人帮他们编曲，设计舞步，制作道具。对他们而言，跳舞是生命自然的律动，爱怎么跳就怎么跳。纯粹地释放，没有任何目的，反而更开心。

有时，两个孩子也会邀我和他们一起共舞，我总是慢半拍，跳起舞来僵硬滑稽，扭扭捏捏，不知哪里不对劲。后来才发现，是自己画了一个框框圈住自己，像成人的世界，总是爱在一个框框的背后加上一个令人窒息的价值观。孩子哪儿管这些呢？孩子在乎的只是妈妈的参与，还会特别帮我制作一个明星似的舞台——把窗帘拉上，用手电筒打灯光，在桌上插上一朵路边摘来的野花，然后为我点上一根小蜡烛，隆重地介绍我出场。

我放开自己，尽情地在舞台上翩翩起舞，孩子开心地拍手大笑，竟说妈妈跳起舞来，真像一只老鸵鸟。

可别捂着嘴巴偷偷笑我，孩子可是真心欣赏一只老鸵鸟在演出，等会儿，就换他们上场表演乌龟和螃蟹跳舞呢！

如果在树下遇见年老的自己，你会问什么呢

孩子还有另一个特点，就是对这个世界，永远充满好奇心。尤其学会讲话后，特别喜欢问"为什么"。

"妈妈，为什么会有人？"

"为什么乌云挤成一团时，天空就会下雨？"

"为什么太阳一定要从东边起床呢？"

刚开始当妈妈时，我总是耐心地陪着孩子到图书馆找数据，上网搜索，甚至做实验。到后来，被孩子搞得一个头两个大时，也只好双手一摊，抱歉地说："妈妈真的不知道，妈妈也有不懂的事。"但孩子总是不死心地追根究底，依旧问个不停。

别以为孩子很好骗，即使忙于家事，故意偷懒地用"嗯""嗯"

回答，想要敷衍了事，总还是引起孩子不满："妈妈，我不喜欢你用'嗯''嗯'回答问题。"就算假装顾左右而言他，转移孩子的注意力，也照样被孩子一一识破："妈妈，你都没专心听别人讲话，很没礼貌。""妈妈你今天回答的话，怎么都让人听不懂？"我只好红着脸俯首认错。

渐渐地，孩子的好奇心、观看世界的方式，一点一滴感染了我。我也开始问自己很多为什么："为什么那个人要这样对待我？""为什么我没有勇气换工作？""为什么年轻的生命会那么快撒手人寰？"大人的脑子里，也有很多"为什么"，而且种类科别，疑难杂症，次数之繁杂，一点儿也不少于小孩。更真切地说，我们对生命的种种疑惑，是从孩子持续到老年，甚至到生命终了的那一刻。

可惜的是，有很多大人不愿也不敢面对自己的"为什么"，甚至不准孩子问"为什么"。没有得到解答的问号，却从来没有在生命中真正消失。它只是隐匿在深处，在某个阶段，悄悄地换个面貌，在不经心的时刻跳出来，让你狠狠跌一跤，逼迫你那个隐隐作痛的伤口，一遍又一遍地思索问号背后该有的答案。

记得大江健三郎曾在书中说过一个故事，让我印象非常深刻。

他说，七八岁时，祖母曾经对他提过，每个人都有一棵"自己的树"，生长在森林的高处。一个人的灵魂，就从这棵树的树根，进入人体的躯壳。一个人死后，身体会消失，但灵魂还是会重新回到树的所在。

当时，祖母还特别告诫年幼的大江健三郎："如果走进森林里，站在'自己的树'下，说不定会遇见老了以后的自己呢！如果是小孩子，一定不知怎么应对，所以还是不要接近'自己的树'比较好。"尽管如此，年少的大江健三郎，有一段时间，还是一个人走入森林，选择一棵看起来又高大又气派的树，作为"自己的树"，等着遇见老了的自己。而且还准备了一个问题问已经年老的大江健三郎："人为什么要活着呢？"

没想到，五十年就这样过去了，大江健三郎真的变老了，每次回到故乡的森林，走过那棵又高大又气派的树时，他竟反过来幻想着，会不会在这里遇见年少的大江健三郎，一直在这里等着问我："人为什么要活着呢？"

大江健三郎最后在书中，引用夏目漱石的小说对白，为年少的自己以及年老的自己做了解答："当我的鼓动停止时，如果有一个新的生命在你的胸中停驻，我就很满足。""请好好记住。我是用这种风格活着的。"原来，大江健三郎的梦想是，有一天自己死后，能用文字甚至是一本书，继续在年轻人的胸臆间，以新生命的形态继续活下去。这便是他活着的意义。

如果，大江健三郎在七八岁时，就开启对生命种种的好奇，甚

至用五十年的岁月，不断面对年少时提出的问题，那么，我们是不是应该重新释放年少就有的好奇心，站在"自己的树"下，探看儿时的自己，问问他想知道什么？渴望什么？或者问问年老的自己，他想拥有什么？此生是否无憾？

用"问号"住进孩子的心里

　　如果你愿意踏出第一步，允许孩子问"为什么"，同时也面对自己生命的种种问号。一个又一个的"为什么"，会跳出来形成一种撞击，解构惯有的思维框架。

　　刚开始也许不习惯，觉得自己简直是自寻烦恼，若能准备一个笔记本，记下自己的困惑，试着在问号的背后，给自己"不止一种"的解答。累积一段时日后，心里某些坚硬的角落，便会不知不觉地松动，变得柔软而有弹性。连带地，本来习惯了很权威地对孩子下达各种指令，以"句号"作为标准答案的谈话，也会转化成一个又一个的"问号"，成为你和孩子交心的桥梁。

　　譬如，儿子就曾问过我一个难题："妈妈，你常说要把话放在心里，这句话是什么意思？"

"就是妈妈说的话，你要放在心里记很久，常常想起它。"这样的回答，儿子似乎懂了，但过了一会儿，他又反问了另一个问题。

"如果别人讲的话，你不喜欢，不想放在心里面怎么办？"

"这个问题嘛！你先想想看，妈妈也想想看好不好？"老实说，这个问题真的不容易回答。大部分的人，都难免会因别人的话语而受伤，严重一点还像被刀子划过似的留下永久的伤痕，一辈子耿耿于怀。除了用各种渠道，发泄自己的情绪，把那些"不想放在心里的话"丢掉以外，有时我还会自我剖析，为什么那些话语会伤到我？是不是对自己不够自信？或者真有做得不好的地方？在日记中一一列出，心想着往后该如何做才能缝补自己的裂痕，那些会让自己疼痛的话语，还要经过一些时日的折腾翻搅，才会日渐淡化模糊，从有形遁入无形，化为生命的养分或提醒。

大人的心思是如此曲折复杂，往往要拐好几个大弯，一层一层抽丝剥茧，才能一点一滴地厘清。而我，究竟要如何解释，才能让年幼的孩子理解？最后我往往选择接住孩子的提问，面对自己的问号，同时也把问号抛给孩子，看他如何思索找到自己的答案。

有时候想着说着，过不了几分钟光景，孩子自己就忘了。但有时孩子是很认真的，记得那次儿子想了几天，主动跑过来找我。"妈妈，我知道了，放在我心里面不喜欢的话，我会像丢球一样，把它统统丢出去。"说到"丢出去"三个字时，儿子还很用力，利落地做了一个丢出去的快速动作。

"有时候，我会把那些不喜欢的话，用嘴巴嚼碎，嚼得很碎，让它永远不会再跑出来。"

这真是一个难得的惊喜，我从儿子身上学到两个解决问题的方法：一个是想办法丢掉，不去在意它；一个是接受它，但要把它消化，不要伤害到自己。这和我用生命的疼痛换来的体会，不是大同小异吗？

孩子天真，却不傻

孩子天真，却不傻。孩子在人生的阅历上没有大人多，但灵性的本质却有可能高过大人。

曾有朋友直言，她觉得我的孩子太过聪慧而早熟，我却觉得朋友太过低估自己的小孩。凸显自家孩子的聪颖，绝非我写这本书的意图，事实上这一代的孩子，本来就远比过去的我们聪明早熟。想想这一代的孩子处在一个多么开放的时代，他们的眼界和伸展的触角，已经无法让我们全然掌控。更何况孩子在妈妈的肚子里，早已听得见外在的声音，并随着妈妈的情绪起伏而有明显的胎动。孩子出生后，即使只是两三个月大，也依然感受得到周遭旁人所给予的爱与照顾，甚至敏锐地察觉外界异常的变化。

记得儿子几个月大时，突然半夜不停地啼哭。叫醒丈夫，才发现我感冒发烧已近四十度，自己却浑然不觉。也有朋友发现孩子才几个月大，就喜欢坐快车，一遇到红灯不得不停车时，孩子就号啕大哭。可以见得，即使只是小婴儿也并非什么都不懂，如果自小能把孩子当作完整的人去照顾与尊重，一旦孩子开口说话，一定会超乎大人想象。

有一种常见的说法是，孩子刚从无形的灵性故乡进驻有形的人间，俗世的障碍较轻，反而能敞开心门，接收来自上苍的信息。也正因孩子面对自身和外界的包袱较少，以至于大人需要用血泪换来的领悟，孩子反而能以直观而通透的感受力，一下子脱口道出。我的意思并非要大人和小孩谈一些人生哲学或卖弄灵学的玄虚（事实上孩子和大人的对话，是长期感情的培养，是自然流泻的默契，甚至是一时灵感的迸发，是无法勉强得来的），我真心想说、想用力抛出的，是希望孩子的父母一定要相信，自家孩子的内在都藏有某种生命的潜能，都有一块大人所忽略的心灵宝库，值得大人用心去开发。

我在一本书中，找到同样的共鸣。书上指出："为了要跟孩子说话，你们必须得学习如何与他们沟通。在他们还处于子宫时就应开始沟通。因为胎儿有两项优势，第一，他们拥有纯真之爱和初生牛犊不怕虎的安然。第二，他们尚未建立蒙蔽自身的'帷幕'，还拥有他们所来之处，亦即自身本质的知识（灵性）。"可惜的是，当孩子

穿过母亲的产道，带着纯粹而饱满的能量来到人间后，阻挡这股能量呈现的唯一因素，反而是"双亲缺乏了解"。

"请停止'咕叽咕叽'地逗弄小孩，而以面对真人（完整的人）的方式和小孩对话，专注倾听，你将讶异于他们要讲的事物。今天就开始在生活当中做出改变，把小孩抱起来，温柔地抱着他们，用你的眼看着他们的眼，用你的心贴近他们的心，让他们听到而且感觉你深深爱着他……"

对我而言，大人与小孩之间，不见得总是"以上对下"，反而像生命与生命之间交互的碰撞、激荡与融合。聆听孩子的想法，了解孩子的需要，是培养亲子感情最重要的基础。这种感觉，就像盖房子，外面的装潢永远比不上内在的根基。根基先打稳，情感稳固了，以后孩子的成长出现再大的风雨都不怕。

一直到现在，两个孩子每晚入睡前，都还会主动冲过来亲着我说："妈妈晚安，爱你！"许多时候，急躁的我并不是个完美的好妈妈，但有一个功课一定会要求自己，那就是"爱"与"倾听"。不管你的孩子多大，成长的历程有没有符合你的期待，你都一定要给他发声的机会。孩子越叛逆，越听不进你所谓的真理，即使明知孩子是错的，你仍然必须理解他脑子里的想法，听听他想要怎么说。除非过于无理取闹，否则孩子乱发脾气和任性，背后一定都有一个你所不知的缘由，甚至是一种隐性的求助——他渴望你了解。

　　这一代的父母本来就很难为，因为我们的上一代，太过专制，而我们的下一代，太过自由。过去我们的父母，活在一个传统保守而不能有太多意见的时代，但我们的下一代，却活在一个自由开放、信息影像多到爆炸、什么事都有可能发生的年代。

　　处于新旧时代交替的我们，不能再用上一代教育我们的方式，也不能用过于单一的眼光来看待下一代的小孩，反而要一层一层把自己打开，松动本来的框架和认知来调整自己的频率和孩子的步调一致。先让孩子觉得你了解他，认同他，安抚他的心之后，你才有可能一步一步走进孩子的心里，做进一步的沟通。

　　记得有一回午睡醒来，竟发现儿子故意在门口丢了大大小小的泥块。"妈妈，有一件事我很生气。"我对儿子这样的处理方式讶异不已，虽然满腔怒火，仍然按捺着情绪听听儿子想要怎么说。搞清楚来龙去脉后，才发现儿子误以为我不经他的同意就丢掉他收藏很久的宝贝。"喏，不是在这里吗？"儿子满脸通红地接过他的汽车轨道，反而被我调侃："下一次生气丢泥块，要往草丛里丢，既可以发泄情绪，又不会伤到别人伤到自己，生完气也不必费力再打扫一次。现在，请你自己把门口的泥块扫干净。"

　　当妈妈免不了有自己的情绪，即使和孩子吵架，充分沟通后看见彼此的盲点，也未尝不是一件好事。儿子就有一段时间，特别喜欢和妹妹玩踢脚的游戏，总是急得我紧张兮兮地遏止："不能这样

玩，万一你的脚不小心踢到妹妹，妹妹可能会受伤，也可能会死掉。"

"也有可能什么事都不会发生。"儿子马上回嘴。

"不行就是不行，太危险了。"我忍不住提高分贝。但儿子总是坚持"有可能什么事都不会发生"，质疑我为什么不能接受"另一种可能"，把我急得火冒三丈。

经过一番争执，我发现儿子并非不知道危险，而是希望我能肯定他的想法。转念一想："是啊。凡事都有三种可能，可能阵亡，可能遍体鳞伤，也可能如儿子所言'什么事都不会发生'。"如何避免自己和别人的伤害，怎么玩，怎么踢，怎么制定游戏规则，才是我必须和儿子讨论的。

儿子抛出的"另一种可能"，意外地打破了我思维上固有的僵化与偏执。在日常生活中，我们常不自觉地用单向单线的思考，无法包容和我们意见不同的人，往往看到事情的危险和风险就全盘否决。若能放开自己，让生命拥有不同的可能，摊开各种可能的路径瞧个清楚，再从中挑选合适的做法，反而能激发自己的创意或杀出几条活路。

结论就是，一开始就否定孩子，关掉自己的耳朵，等于阻断了亲子沟通的桥梁。不管孩子说什么、做什么，都要放下自己预设的立场，了解他、肯定他。爱便是这样长出来的。

譬如有一回，儿子居然想学爸爸弹吉他，当时儿子年纪还很小，只是乱弹一通，仔细一听，还挺有节奏感呢。

"妈妈，我发现自己愈弹愈好听喔。"儿子提高嗓音，听得出有满腔的欢喜想找人分享。我放下手中的家务，竖起大拇指："嗯，真的很好听。"看到儿子骨碌碌的大眼睛充满笑意，我忍不住又补了一句："很好啊！一个人用快乐的心情去唱歌，一定会唱出动人的音乐。"

"妈妈，你想学吉他吗？"儿子抱着吉他，很认真地问我。我突然发现，这么小的孩子这样抱着大吉他，好像挺重的。

"妈妈很笨，没那种天分啦！"我摇摇头，真怕扫了他的兴致。没想到儿子竟接着说："妈妈，我发现弹吉他有一个秘密，我可以教你喔！"

"真的？那你赶快教我。"明知儿子只会乱弹，还是很想听听他有什么好点子。

"就是当我觉得自己弹得很好听时，我就把那种好听的感觉传到心里面……"儿子洋溢着老师为学生示范的架势和自信，拨弄着琴

弦，指着自己的心说，"传到心里面后，我感觉好像有一种力量，想用力再把它弹回去，这样我又会弹出更好听的音乐。"

哇！把美好的感觉，牢牢地记在心上，激撞出更多的力量，不就是越活越强壮的秘籍吗？我摸摸儿子的头，终于发现他所谓的秘密："喔，刚才你就是这样弹来弹去，传来传去，才会愈弹愈好听的，是不是？"

"嗯！"儿子笑开了眼，又蓦然想起，"爸爸最近心情很不好，我想送一首歌给爸爸。歌词请妈妈帮我写下来好不好？"

"每颗心上某一个地方，请你真的不要再伤心。心里的月光把梦照亮，我温暖你心房。我每一天都会爱你，让你天天快乐起来……"

孩子的爸爸一回来，儿子真的唱了，抱着大吉他，很用力地唱。

蓦然，我看见了一个大男人的眼泪和感动。

种子和孩子的相似处

有一阵子，我买了一些花的种子来栽种。因为一时糊涂，把花的种子全搞混了，反而对种子最后会开出什么花朵特别好奇与期待。这跟带孩子其实有点儿像，当你对孩子的成长没有预设任何立场时，反而留了更多的空间给孩子和自己。

想想，如果父母一开始就设定一个白白净净像茉莉花一样的孩子，日后一定要成为一株美艳夺目的兰花，这和违背自然的基因改造有什么两样呢？孩子的生命是活的，充满跃动而渴望飞扬，倘若强势画出一个成长的模型，只是长出父母期望的形状，而不是孩子真正的样子。如果父母愿意把自己放空，退后一步成为一个观察者、引导者与欣赏者，让孩子按照天然的禀赋去成长，那么孩子必然会成为他自己，开出他自己的花。

以人智学启迪儿童教育的鲁道夫·史代纳，曾把生命比拟为一株植物。他说，植物不仅包含外在生命所呈现出来的现状，隐含在植物深层的内在，还保存着一种未来的状态。也就是，植物会冒出新芽，长出叶子，接下来长出花朵与果实，这"种种未来的潜能"，其实早已蕴含在植物深层的胚胎内。鲁道夫·史代纳认为，唯有人们愿意从表面向内深层地参透，了解生命的本质，你才能辨识出孩子或自己（甚至人类自身）的"生命之花"未来会长成什么模样。

买一把种子，观察种子如何长大。正好可以往内探索自己，并和孩子的成长相互映照。以我自己孵育幼苗的心得，有几个宝贵的收获：

1. 不要太早认定孩子一定要长成什么样子，就像观察一颗你从未见过的种子一样，保有一种未知的期待和惊喜。

2. 有耐心，才看得到各种阶段的变化。每颗种子冒出新芽的时间，都不一样。它有自己的速度。

3. 种子的枝芽，总是向着阳光往上伸长。生命的力量，要不断地往上。记得眼睛要向着阳光，只要孩子有一丝丝进步，就要用力为他鼓掌。

4. 每个植物都有自己独特的身姿。生命有独特性，但绝对没有百分之百的完美。你应该教养出独特、有自己风格的小孩，而不是完美的小孩。

5. 维也纳杰出生物学家劳伍·法朗塞说："植物会有自己的意图，会往它们想去的地方延伸，找到它们想要的，其神秘奇妙不亚于任何传奇故事。"孩子也一样，年幼的时候，给予多元的刺激，多带他们出去看看外面的世界，孩子会累积自己的能量，时间一到，就会启动内在的驱动力，长出自己的喜好和兴趣。

6. 很奇怪，有时明明投注很多的关爱，施肥、浇水、控制室温、保持通风，有些植物还是垂头丧气，好像抗议我照顾不得当。因"爱"伴随而来的失落、伤心甚至不解与生气，是生命的常态。别忘了为自己的情绪找出口，或试着对孩子流露你的心情，坦白你的喜怒哀乐。

7. 有些植物超有韧性，生命力很强，不需要太过关照就长得生机盎然；有些植物则体弱多病，需要更多疼惜才能继续成长。

8. 别因为孩子长得好，比较独立，就不小心忽略他；更别因孩子弱不禁风，就特别溺爱他，宠坏他。爱的分寸，很难拿捏。制定公平的家规，避免孩子吃醋或抗议才是良策。

9. 生命的成长，有一定的时序和节奏，到了属于自己的季节才会开花。时机未到，或者孩子对你施予的东西根本没有兴趣，即便你整天猛盯，添加各种维生素，也是徒劳无功。

10. 植物能感受外在环境的波动以及人内在的情绪。孩子的心很敏锐，有开心的妈妈，才有开心的小孩。把自己照顾好，孩子才

会长得更好。

当妈妈之后，养成了随时写随笔的习惯。有时是看一本书，写下心得与摘要；有时是抒发自己的情绪，毫无章法地尽情宣泄；有时只写一句话，或学着孩子胡乱涂鸦。每隔一段时间，回眸探看自己走过的足迹，总有什么东西在心头萌动着，滋长着。

除了为自己买笔记本，我也为孩子准备图画本，甚至买大张的墙报纸，让孩子一摊开画纸就可以大幅度、无拘无束地用手中的画笔宣泄自己的感情。我从不规范孩子一定要画什么，孩子还那么小，脑中所想、手中所画，在大人没有干扰和暗示的情况下，都是天性的自然流露，以及本能驱动下的"天启"。大人从旁记录与聆听，反而能从孩子的图画和话语中，获得生命最原始的秘密。如果植物真如孩子画中所绘，是一个有生命有感觉的实体，那么人和植物可以沟通吗？我们有没有可能融进植物的体内，成为植物的一部分，感受它努力将枝干伸向阳光的生命力和被雨水滋润洗涤的喜悦。

换个角度想想，人类与大自然本来就是生命的共同体，在互相联结、互相依存的生命网络下，彼此的能量本来就可以互相传递，互相融合。倘若我们能张开心灵的眼睛，看见大自然内在闪动的火焰，就能把孵育幼苗的心得，和孩子的成长相互联系在一起，产生共振。

园艺魔法师伯班克的育种技术印证了我的想法。据说伯班克在育种或做植物实验时，会用心聆听植物的语言，并跟植物说知心话，保证他会非常关心并保护它们。这种"爱的振动"比任何力量都还要强大，植物因而长得更好，长出更多果实。甚至连仙人掌都在伯班克爱的滋养下，不再长出保护自己的尖刺。

如果伯班克培育无刺的仙人掌是一种生命的奇迹，那么创造奇迹背后的动能，便是爱与聆听，我们也一样可以运用在自家孩子的身上，拔掉孩子身上的尖刺。伯班克还把育种的经验用来"调教人类的秧苗"，提出自己的教育主张。他说："耐心倾听大自然所教导的功课，一课一课静静地聆听，听它把以往隐秘之事揭露给愿意倾听的人知道……何苦强迫孩子遵照书本知识的要求，而牺牲了自发性与游戏能力。孩子有良好的神经系统才更重要，以后真正对孩子有用的事物，大多是在游戏中借着与大自然接触学会的……我快七十七岁了，还能跳跃篱笆门、赛跑，因为我的身体并不比我的心老，而我的心境像孩子一样。"

恢复天真的童心，投入大自然的怀抱，像种子一样努力往下扎根，同时

用力地往上成长，用鲜绿的枝叶，尽情拥抱蓝蓝的天空。你会听见大自然的心跳，以及自己的心跳，在花丛间，在小河里，强壮地鼓动。此时你才会恍然明白，原来孩子画中的"根须"是我们生命的"脐带"，我们的脐带和大自然的根须本来就紧紧相连。因为，我们和万物，都是土地孕育出来的孩子。

土地，才是我们真正的母亲。

03

用眼睛看自己，
治愈当母亲的心

唯有了解原生家庭如何塑造自己，找出上一代和自己之间的生命联结，才能治愈内在的小孩，避免在爱中继续受伤，也就能选择最适合自己的教养方式，扮演好母亲的角色。

一个母亲的忏悔：我真的爱孩子吗

记得儿童时代，我们的眼睛总朝向远方，渴望自己快快长大。好不容易身体变大，房子变大，生命的视野也变大了，这个追寻"大"的历程，却不见得为我们带来快乐。究竟是因为从小孩变成大人的历程中，我们在某个阶段被卡住了，自己却浑然不觉，还是目前我们所过的生活，根本不是从小渴望的？

生命无法重来。孩子的诞生却为我们重温了儿时的记忆。孩子的一举一动，总会在某个恍然的瞬间，碰触到你深埋于心底的儿时记忆。不管你愿不愿意（记忆其实没有逻辑可言，总是不按套路出牌），点点滴滴的儿时往事在你不经意的时刻，会突然被引爆似的、猛然从你遗忘的深处跳出，以你始料未及的速度，让你再度变成小孩。

有可能你会想起你的父母，突然泪眼朦胧爱恨交织；也有可能在短短的瞬间，变成你自己、父母和小孩的综合体。你会从父母身上，看见"现在的自己"；还会从自家孩子身上，看见"过去的自己"，潜藏于你心灵深处那个儿时的你（内在的小孩），会开始探出头来和你说话，有可能他一直不想长大，也有可能他想换个样子，重新活过。

从孩子诞生那一天起，从现在通往过去（或过去通往现在）的记忆列车，便乘载着欢笑、悲伤、愤恨以及泪水，以不同形式、不同速率，在你心上不断地推移。随着孩子的苗壮成长，不断地为你带来激烈的碰撞和火花。

回到原生家庭，重新凝望儿时的你（其实他一直住在你心里，被记忆的薄纱轻轻覆盖，一直没消失，也未曾离开），只要你愿意和心里那个小孩说些真心话，也许你便有机会褪去几十年的旧皮，重获新生，在现实生活中成为一个没有遗憾的母亲。

之所以我能鼓起勇气，一次又一次地面对，掀开儿时记忆的轻纱，是因为儿子两岁时，我做了一件母亲不该做的事：

每次骑摩托车经过某条山路，总会瞥见一条陡坡，远看并不陡，真正加速企图往上爬坡时，才发现太过陡峭只能骑到一半，再往上骑恐有翻车之虞。"穿越那个陡坡之后，究竟可以看到什么？"极度的好奇心，加上一种难以解释的驱动力，每次骑车经过那条陡坡，

即使屡试屡败，总还是不死心地再试一次。

不知是吃了什么熊心豹子胆，有一天车上明明载着两岁的儿子，却仍然着了魔似的铤而走险，加速企图爬上陡坡。"我究竟怎么了？怎么会做出这种蠢事？"等我回过神，警觉自己拿着孩子的生命开玩笑时，即使紧急刹车用尽力气想稳住车子，摩托车却依然从陡坡上摔了下来，"砰"的一声倒地。

儿子"哇"地大叫一声，随着摩托车摔倒在地。一种恐惧、害怕、后悔夹杂着各种复杂的心绪，溢满我整个胸口，我赶紧抱起儿子，泪如雨下。

一位好心的赏鸟游客目睹了一切，马上冲过来，帮我扶起摩托车拉到山下。确定我们母子安全无恙后，摸着儿子的头对我说："小姐，幸好你生了一个勇敢的儿子，只哭了一声就停了。好勇敢的小孩。"末了还意味深长地看了我一眼，仿佛在说："小姐，你怎能带孩子走这种险路？"

也许儿子年纪小，身体柔软，经过医生检查并无大碍，一会儿就蹦蹦跳跳了。虽然先生并没有怪我，但一种羞愧自责的心绪却萦绕在我心头久久无法离去。

我真的爱孩子吗？为何我会不计后果让孩子陪着我冒险？是迷糊粗心，急躁冲动，还是骨子里总有一股莫名的执着、愚痴？是什么缘故造就了我两极化的个性？

　　忏悔的眼泪一滴一滴地落在我的日记本上，合上布满泪痕的日记本时，却看到日记本里，夹着一张我怀儿子时画的抽象画。走入自己画中的心灵幽谷，才猛然察觉摩托车上忍住不哭的儿子，好像儿时的我。两极化的个性，则是大而化之的母亲，与严肃执着的父亲，两个极端的合体。

走过属于母亲的心灵幽谷

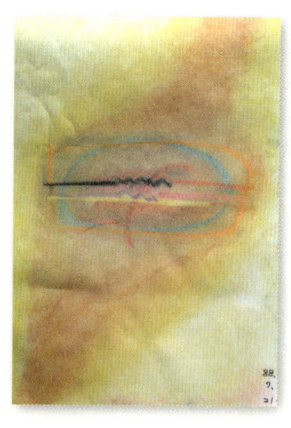

　　小时候很爱画画，长大后却几乎不曾再拿起画笔。直到怀儿子时，肚子里总有条脐带，轻轻牵引着我拿起儿时的画笔。我用两极对比的颜色，使劲在纸上涂抹，画出自己的内心世界，总觉得内心深处好像一直有两条极端的丝线在不断地拉扯，连自己都莫名其妙。

　　后来有个朋友告诉我，我的画中有一条裂缝，意味着自己一直在极端的拉扯中寻找出口，也许要返回生命的出生地，才找得到生命的答案。

*　　*　　*　　*

我的目光倏地回到童年。

印象中的妈妈乐观直率，不拘小节，从小就给我们很大的空间，甚至连月考过后成绩没有达到老师的标准怕挨打，妈妈都可以为我们请病假逃过一劫。她的信仰是相信自己，自己看得开，想得通。即使现在六十几岁，还像个老顽童，骑自行车、戴着斗笠淋雨，活力充沛，一点也不输给年轻人。可惜妈妈是个传统女性，事事都必须请示爸爸，即便大而化之的个性，爱上事必躬亲连一点小节都不放过的爸爸，生活中吃了很多苦头，却依然事事以爸爸为主，无怨无悔。

爸爸是位兽医，兼职售卖饲料，他是那种在乡下背着大药包，四处在农家为猪治病、帮猪接生的传统兽医。

他的个性有条不紊，严谨而细心。身上穿的衣服，包括内衣，一定要指定某个品牌，而且须在同一家服饰店购买；他的钱包里面，第一张一定放身份证，里面的钱也要角对角、人头对人头折得整整齐齐；家里的任何摆设，未经他的同意不得变动。卖饲料结账时，屈指一算，就可以简单算出的价钱，却坚持用钢笔一笔一画慢慢算；看书更不用说了，如果我们一目十行，他大概是一行看十遍，字字斟酌。

我的个性比较像妈妈，唯一不同就是不听命于爸爸。以前不懂事的我，总觉得爸爸太啰唆，加上自小个性迷糊，总觉得爸爸对我

的管教特别严格。

小学时，有一次家里的母猪要分娩，通常一只母猪一胎约可生十几只小猪仔，过程长短不一，有时甚至要等上几个钟头。爸爸要我在旁边照顾母猪，一有动静，要赶紧通知他过来接生，剪掉猪仔的脐带。

可是，贪玩的我因不耐烦，想出了"催生"的方法，偷偷爬到猪圈外面，找来一根长长的棍子，然后用棍子敲打母猪屁股，拜托它快一点生。哪知，不巧被爸爸逮个正着。爸爸气得用棍子狠狠修理了我一顿，还要我在猪圈罚跪，向母猪认错。

不知是不是母猪动了胎气，结果那一胎只生了四只小猪仔，其余都是死胎。爸爸为此好几天闷闷不乐。当时年纪小，以为爸爸是为了四只小猪仔，卖不了好价钱而生气。后来自己当了妈妈，经历怀孕生产的辛苦，才明白爸爸当年是气我年幼无知，对母猪不厚道。

正因爸爸的个性，我对爸爸又爱又怕，很少和爸爸说话。但爸爸的摩托车上却常常出现我的身影。因为迷糊的我，常常在公交车上睡过头，来不及拉铃下车。乡下的公交车班次很少，时间却很固定，爸爸每次发现我在固定时间没下车，总会自动到下一站接我。

有一回，我在公交车上突然从睡梦中惊醒，糊里糊涂便拉铃下车。一下车才知道，这回不是睡过头，而是提前下车了。心想，糟了，爸爸到下一站一定找不到我。眼看四周黑漆漆一片、寂静无人，又找不到电话，在求助无门的情况下，却看到爸爸满头大汗，骑着摩托车迎面而来。

我拭去眼角的泪水，默默坐上了爸爸的摩托车，爸爸什么话也没有说，我在后座紧紧搂着他的腰，说不出一句感谢，却在泪眼中，感觉爸爸传递而来的温暖。

爸爸对自己的工作有一种深厚的执着，一年365天不曾看过他休息。晚年身体不好，却仍坚持自己肩扛100斤的猪饲料，然后用绳子，把饲料捆绑在摩托车后座，骑着摩托车在村子里来回穿梭运送。

我看着爸爸佝偻的身影，总忍不住抢先一步，把100斤的猪饲料扛起来背在自己身上，左右邻居看得目瞪口呆，直夸我是大力士。

其实，我练就一身好臂力，纯粹是因对爸爸有说不出口的感情，只有在帮爸爸扛起饲料的那一瞬间，我才觉得自己尽了一点孝心，表达了我从小说不出口的谢意。

后来养猪的人家愈来愈少，加上爸爸身体不适，我们都劝爸爸不要再骑摩托车载送饲料，考虑关店休养身体。然而爸爸对兽医工作仍无法忘情，小弟只好开着他的进口跑车，帮爸爸送饲料给客人。乡下养猪的阿伯看到自己买的一包饲料，居然是弟弟陪着爸爸，用高级进口跑车运过来，还以为自己受到特别礼遇，站在门口再三道谢。

不止如此，有一次爸爸还要大姐夫开车陪他去隔壁村替猪治病。

哪知一到现场，重病的爸爸已经无法为猪打针，竟然指定当牧师的姐夫"代打"。姐夫不敢违背老丈人，只好一面祷告，一面遵照爸爸在旁边的指示，成功地帮母猪打了一针。

爸爸对工作的执着和负责深深影响着我，一直到成年，对分内的工作一定尽责到底。但爸爸过于保守严谨的框架，却让我从小渴望看到框架以外的世界，这种渴望像小小的火苗，随着我的成长越来越炽烈，总觉得胸口老是有什么东西在燃烧，导致我和爸爸之间横隔着一枚隐形炸弹，只要一点小小的不快就会随时引爆。

也许爸爸从来不知道，我爱他，却不甘在爱中被捆绑；我忤逆他，却依然渴望得到他的爱。直到爸爸在一场手术中意外过世，每一次去灵骨塔前探望爸爸，以前很少和爸爸说话的我，对爸爸总有说不完的话。那个属于爸爸严谨静默的身影，总是才下眉头，却上心头。

生命有传承：父母，我，然后是子女

　　和亲人诀别，是最艰难最痛苦的旅程。也许是老天爷故意的安排，从小对爸爸又爱又怕的我，竟在最后的道别里，说出所有的真心话。

与亲人的最后道别

　　爸爸尿毒症指数偏高，需要装一条洗肾的管子，没想到手术失败，陷入昏迷。我搭上返乡的飞机，赶到加护病房，轻轻叫了声"爸爸"，他瞪着眼睛一点反应也没有。一种即将面对死亡的哀伤，使得一向和爸爸疏离的我，脆弱地放声

大哭："爸爸，我不要你这样离开我！"

爸爸的心顿时被触动似的，眼泪突然从往上吊的双眼里夺眶而出，插着管子的喉咙开始咕哝咕哝地上下移动，仿佛在用他整个生命向我呐喊："阿文，爸爸听到了。"

"爸爸，我感觉你在讲话！"我又哭又笑地紧紧搂住他。他仿佛也使尽全身的力气，紧紧抓着我的手。从小爸爸对我管教严格，我们很少说话；却在生死别离之际，第一次感觉和爸爸如此亲近，觉得对爸爸有说不完的话。

我好怕，怕这一切来得太迟，却又希望生命奇迹能出现，于是用尽所有力量，想唤醒爸爸。

我开始录制录音带，述说爸爸这一生美好的记忆，姐姐弹奏爸爸最爱听的歌曲，孙子们咿咿呀呀唱着儿歌，连不知爸爸真正病情的妈妈都参与录音："老伴儿，赶快好起来，我在家里等你回来。不要担心，孩子们都说你不要紧。"

我在加护病房一遍又一遍地播放，希望家人的支持能够化为力量，支撑爸爸勇敢活下去。但爸爸一天比一天虚弱，醒来的时间越来越少，到后来眼睛竟失明，无法吃饭，无法说话，无法自己呼吸，好几次身体不自主地抽搐，痛不欲生想自己拔掉管子。

死亡的阴霾紧紧笼罩着爸爸，我若不愿正视，就只能眼睁睁看着他承受死神的折磨，心痛如绞。"爸爸快走了，他需要的是坦然地放下，而不是美丽的谎言。"几番挣扎，我决定对爸爸说实话。虽然医生护士判定爸爸已经意识不清，我却认为他一定听得见我说的话。因为，我相信生命，相信自己的直觉，相信真挚的亲情一定可以穿透一切，产生巨大的能量。

我不知道自己究竟用了多少力气，才迸出心里真正想说的话："爸爸，从小我就迷糊叛逆，除了符合你的期待考上师范，几乎没什么事达到你的要求。我好想跟你说，尽管我不是一个很听话的女儿，但在我的心里，还是很爱你。"爸爸躺在病床上无法言语，失明的眼睛却突然泪流满面，横隔在我和爸爸之间几十年来的高墙忽然在这一瞬间融化了，我的眼泪一滴一滴地滴在爸爸怀里，久久无法再说一句话。突然打开了心里某条通道，看到严肃静默的爸爸，用眼中的泪水娓娓道出他从未说出口的感情。

爸爸最后真的走了，永远地离开了我们。在加护病房和爸爸最后的道别，成了我这一生永难忘怀的画面。

这个画面，像一把利刃，常常从我心上划过，割出疼痛的血丝，再多的遗憾和不舍也无法唤回从前。更多的时候，那些点点滴滴的哀伤像生命的呜咽，从四面八方穿透而来，让我无法抑制地失声痛哭，久久无法自己。直到有一天，爸爸临终前默默无言的眼泪，突

然从深处透射一种微光，隐隐约约，似乎在告诉我，爸爸在内心最底层，还是会因为对我的疼爱，让我走自己想走的路。

我很诚实地问了自己几个问题：如果有一天走到生命的尽头，回顾这一生，我会有哪些遗憾？有哪些事是我目前最想做，却迟疑不敢去做的？生命这么无常，我可以知道自己活多久吗？检视我们这一生最后的目光是谁呢？

接着，我检视过往的人生，列了一张生命地图，决定辞去工作当全职妈妈，陪着孩子长大，弥补自己童年情感的缺失，也让儿时的自己重新活出年少时的梦想。

成为老师一直是父母对我的期盼，除了写信向妈妈告白，取得妈妈的谅解。多年来，我也不断地回到当年在加护病房号啕痛哭却无法留住爸爸的内在小孩，问自己为何害怕，为何悲伤。直到几年后，回娘家，移除三四十年来家里一直不敢移动的大药柜，我才真正觉得，那个号啕痛哭的小孩已经走出悲伤，而且重新长大。

爸爸当兽医时，有个专属的药柜，即使爸爸过世之后闲置客厅，家里也没有人敢任意移动。这个大药柜是爸爸放弃最爱的工作，选择当兽医，劳碌一生作为家里经济支柱的纪念碑，代表爸爸在我们心里的分量，更象征一种庞大无比的感情以及他身为父亲不可逾越的权威。

事实上，我们对爸爸的思念，并不会因为药柜存在与否而有丝毫的改变。移除这个药柜，腾出新的位置，妈妈才有更大的空间做她自己，安享她的晚年；对我而言，重新整理这个大药柜，挥别岁月的阴霾，好像重新走入了爸爸的内心世界，厘清了我对爸爸复杂的感情。即使爸爸已离我而去，解构他在我心里的权威，却仍需要一些勇气。唯有移除这道从来不敢触碰、紧紧深锁的藩篱，住在我内心深处那个内在的小孩才能真正探出头来呼吸，开启新的旅程。

我在生命地图上，一一列出原生家庭对我的影响，和自己的优缺点相互比对。原来，所谓的家族传承，就是规避上一代所犯的错误，让上一代美好的特质在下一代发光发热。唯有了解原生家庭如何塑造自己，找出上一代和自己之间的生命联结，才能治愈内在的小孩，避免在爱中继续受伤，也才能选择最适合自己的教养方式，扮演好母亲的角色。

也许爸爸情感比较内敛、含蓄，不知如何表达自己的感受，以至于我和爸爸之间，一直存在着无法跨越的鸿沟。为了弥补过往的缺憾，在现实的生活中，我成了"常把爱挂在嘴边的母亲"，从不吝惜对孩子表达自己的感情，也成了孩子的倾听者。

家里的空间摆设，只要孩子有自己的想法，经过彼此的沟通，都可以自由地移动，建立自己的城堡和秘密基地。过去我曾是个不快乐、

性情比较压抑的小孩，而今我尽可能给孩子自由的成长空间，让他们尽情地奔跑，尽情地欢笑，自己决定自己的人生，走自己想走的路。

作为一个母亲，我必须坦言，自己仍有许多不足之处。也许许多父母和我一样，会从孩子身上看到自己的影子，有时孩子的缺点，正好是自己的致命伤。如果我自己无法做好，又该如何要求自己的小孩？因此，虽然我不能说自己是个完美的好母亲，但我绝对是个会认错、会成长、会倾听的母亲，我允许孩子和我辩论，若是他错了必须跟我说对不起，而我自己错了也会诚心诚意地道歉。

我无法断定孩子因为我的教养，会成为一个怎样的人，只有孩子自己才能决定他自己想要成为怎样的人。看一个人要看他的一生，没有走到一生的尽头，我们怎能知道一个人一生的结局，又怎能替别人（包括自己的小孩）检视他的一生？我唯一能确定的，是我终其一生不会遗弃我的孩子，不管他们有没有出息，有没有世俗的成就，我都会一生守候着他们，分享他们的快乐、悲伤，成为他们最大的依靠。

如果问这十年来陪伴小孩，有什么事是我觉得最开心，最有成就感的呢？我想，那应是我找到了作为妈妈的自信，确信自己有能力给孩子幸福。

因为，我是真正回到生命的初始，来看待生命如何长大，包括如何让自己重新活过的。

孩子渴望成为自己

　　你有自己生命的颜色吗？你允许孩子为自己的生命涂上独特的色彩吗？

　　纪伯伦说："你们的孩子，并不是你们的。他们是生命的子女，并渴望成为自己。他们经由你而得到生命，但是他们不是来自于你……虽然他们跟你住在一起，他们并不属于你。你可以供给他们居住，但是不要禁锢他们的灵魂。"

　　"孩子渴望成为自己"，任何生命都该这样。

　　记得有一年夏天，孩子在野外捡了一只雏鸟。"恐怕是被强风吹落，或不小心从鸟巢摔下来的吧！"在找不到鸟巢的情况下，孩子小心翼翼地把雏鸟放在竹篮里，做了一个鸟巢，带回家饲养。

　　没想到几天后，我们从外面归来，竟赫然看见客厅的地面、桌

上，有一些零星的鸟粪。奇怪的是，雏鸟羽翼未丰，根本无法跳到竹篮外。难道是母鸟找到了自己的小孩？

为了避免惊动母鸟，我和孩子故意把竹篮里的雏鸟放在窗台，方便母鸟回来探视。果然不出所料，几个小时后，母鸟开始在窗外急切地呼唤自己的小孩，然后大胆地潜入人类的领域（应该说冒着被人类活捉的危险），直奔竹篮。而雏鸟仿佛早已知道母亲会过来似的，迫不及待地张大嘴巴，一口把母鸟衔来的小虫吞进肚里。而且还叽叽喳喳地向母鸟撒娇，好像有说不完的话。

一种对母亲的思念，突然涌上心头，攫住了我。我几乎天天在泪眼朦胧中，迎接着母鸟从不知名的地方前来喂食雏鸟，还不时盘旋在竹篮附近，教导孩子如何飞翔，直到雏鸟终于张开翅膀，飞驰离去。

有时，我不免会思索，雏鸟是飞回了树林里的鸟巢，还是向母亲告别，独自飞向自己的天空，尽情地探索这个世界去了？

不管是哪一种答案，我都真真切切目睹了自然界的母爱："不止喂饱自己的小孩，还教导孩子独自起飞的能力。"

而我们给予孩子的，也是让他可以自由翱翔的能力吗？

我想问的是，你允许孩子长出他自己的样子吗？允许他背离你的期待，做他自己吗？

相信你的孩子，会活出自己的天空。

小心，别把孩子当成你的复制品

一提起《易经》，一般人就会想到卜卦算命。其实《易经》最宝贵的，是落实在生活里的生命哲学。在《易经》里面，我最喜欢的是"家人卦"。

《易经·家人卦》，一开始就直接明白地在卦辞上写着："家人：利女贞。"意思是说："一个家吉利的关键，在于女人是否持正理家。"以过来人的体验来说，《易经》点出的，应该是女人在家庭的重要性，而不是保守的以为女人只能以家庭为重心，而没有自己的梦想和生活。

常见很多全职妈妈，嘴里念着的、心里想着的全是先生小孩，送孩子到处学才艺，却从来不知自己还可以学什么。等到孩子有一天长大，先生也有自己的事业，风华的青春早已枯萎，加上没有自

己的生活圈子，渐渐地，就变成唠叨碎念的黄脸婆。

《家人卦》的卦象是"巽上离下"。"巽"是风，"离"是火，犹"风从火出"。因为火在烧的时候，热空气上升，带动空气的对流形成了风。所以《家人卦》的卦象告诉我们一个动人的意象："风自火出"——外在的现象，是从内心出来的。

也就是，外在的行为正是内在价值的显现。内心的价值越是清楚明朗，外在的行为便越笃定顺畅。如同你给孩子什么样的家教，孩子就会有什么样的外显行为。

据说古代新娘结婚，轿子经过大街小巷时，大家（包括宰相）都要礼让三分，因为未来每一个新娘的孩子，都有可能成为未来的天子。以现代角度，每一个孩子都有可能是各行各业的专才，只在于父母是否适才适性地教养。因此，《易经》在《家人卦》卦辞中，就点出"无攸遂，在中馈，贞吉"。意思是说，家庭主妇在外（表面上）虽然没有什么自己的成就，但是对下一代的教育和养育，让孩子活出自己的天性，却是最大的事业。

孩子的初始就像一颗简单而完整的种子。他不见得要吃很多维生素或大补丸才会长大。他渴望的，也许只是父母听他说说话，陪他哭，陪他笑，同时给他成长和呼吸的空间，便会开开心心地，长出自己的新芽。

这个新芽，有它独特的身姿，也带有一点模糊的熟悉感。为人父母者，最大的收获，来自于瞧见孩子在每一个阶段，长出枝叶的各种样貌，竟和过去的自己紧紧交叠，同中有异，异中有同。

小心，别把孩子当成你的复制品。

孩子的命根和你的血缘紧紧相系，但他不是你，不受你的控制，也不是你的模型。孩子会因得到你的爱，长得比你好，青出于蓝。

陪伴孩子长大，同时也让自己因孩子而得到成长。这种从深处互相撞击涌现的喜悦，就如同《家人卦》六四的卦辞所言"富家大吉"，这个"富"指的便是精神上的富有，任何金钱也买不到的富有。

只有真正爱孩子的父母才会拥有。

妈妈的创作，孩子的宝盒

　　想过留给孩子一个心灵宝盒吗？当孩子大到跟你一样年龄时，遇到同样的瓶颈和困难，打开这个宝盒，就像回到母亲的怀抱，看见自己童年时"内在的小孩"，说不定能帮助他们治愈自己，从中获得一些力量。

　　以下两篇，是我40岁那年，以两个孩子的涂鸦画和作品，写成的图文创作。希望两兄妹像我一样40岁时，打开这个心灵宝盒，会看见当年童年的笔触所留下的心灵轨迹，从儿时真挚的自己，找到再度出发的力量和活着的勇气。

妈妈想象哥哥 40 岁时，会对妹妹说……

亲爱的妹妹，

时间的巨轮转得好快，

转眼间，我已经是 40 岁的大人了，

看着儿时的图画，

我有许多话想对你说……

很讶异，

3 岁时第一次用手中的笔，

画出你的身影

我居然忘了画出你的双手！

后来想想，即使你没有双手，

我也会把你

当成一个完整的人来看待。

哥哥要向你坦言

"40 岁真实的心情"。

成人的世界，其实有点残酷，

有许多大人，根本不把人当人看，

你要知道，你生活的社会，

"好人"和"坏人"

是各凭本事求生存，

你可千万别输。

别怕！这是哥哥 4 岁捏的陶人，

爱幻想的妹妹，

可别老是被美丽的包装迷惑，

有些人很丑很笨拙，

但他会对你说真话，

你听见了吗？

听见陶人来自生命

真诚的呐喊！

每个人都会老，

努力充实自己，

储存生命的滋养，

瞧瞧将来你哥哥年老的模样，

即使拄着拐杖，

却依然活得这么有尊严，

这样才叫"帅"。

万物都有灵性，

石头有眼睛，也有感情，

只是一般人看不见。

遇到挫折时，要记得

静下心来向上苍祷告。

（记得要安静，才有办法

听到上苍的声音。）

想想连我的车子，都有眼睛，

上苍怎么可能会没有眼睛，

别怀疑，一定要有信心。

还有一件事，一直不知怎么开口，

小时候，我老是喜欢捉弄你，

害你哇哇大哭，究竟是什么缘故，

我到现在也说不清楚。

总之，现在 40 岁的老哥，

要诚恳地跟你说"对不起"。

长大后，我们各奔东西，

再也没机会吵架，

我却一直挂念着，天真热情的妹妹，

会不会在世俗险恶的社会，

跌倒受伤害？

不要忘记，

你的老哥会永远做你的后盾！

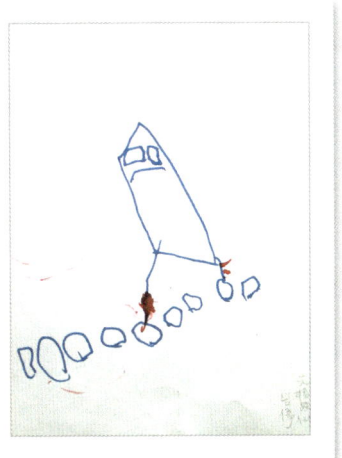

最后一句叮咛：

希望多情的妹妹，

慎选枕边人，

不要一时冲动，

就把自己嫁掉。

哥哥很啰唆，

但希望你一辈子幸福快乐。

　　　　你的臭老哥　敬上

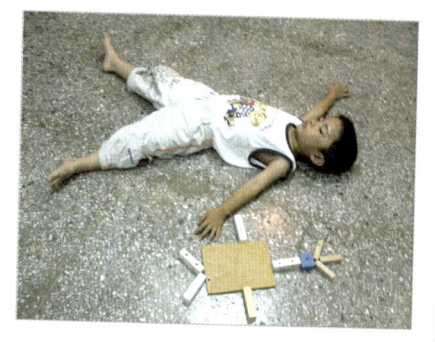

妈妈想象妹妹 40 岁时，会对哥哥说……

亲爱的哥哥，

光阴的箭飞得好快，转眼间，

我已经是个 40 岁的"大人"了，

看着儿时涂鸦本的图画，

我也有好多话，想跟哥哥说。

现在看起来真令人讶异，

2 岁时第一次画"哥哥和我"，

居然是"大圆"和"小圆"。

生命不就像一个"圆"吗？

从生到死，从起点到终点，

最后又回归到生命的原点。

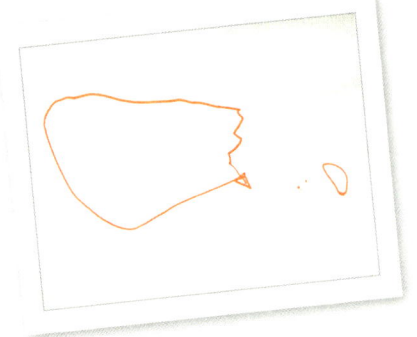

这个原点，

是生命的单纯和天真吗？

即便我到了 40 岁，

心里还一直

住着一个"小女孩"。

就像儿时画的图画，

我的心中，

永远有温暖的太阳，陪伴着我。

永远有"大圆"，会陪伴着"小圆"。

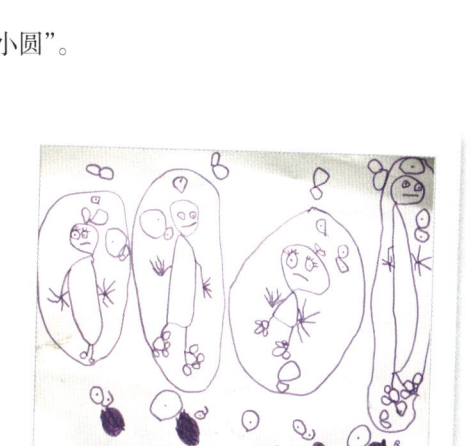

哥哥说得没错，

成人的世界，真的有点复杂，

遇到挫折时，我会画个"圆"

把自己包起来，

默默地祷告、沉思，

跟自己说话，

自己给自己力量。

有时候，我还会当个隐形人，

回到儿时住的大屯山，

听听"山"对我说些什么，

就像哥哥所说

"石头有眼睛""山也有眼睛"，

只是一般人看不见，

也听不见它们的声音。

哥哥别担心，

我的身边总有很多爱我的人，

就像哥哥对我一样，

即使在现实的环境，

不小心跌倒受伤，

我也很快就能找到出发的动力。

（我早就把哥哥当年欺负我的事，

忘光光啦！）

虽然你的妹妹像当年一样爱做梦，

但当哥哥看到这幅画时，

表示你的妹妹，

正过着幸福美满的生活。

希望我的哥哥也一样，

找到所爱的人，把握自己的幸福。

天真的妹妹　敬上

你也可以做得到：用涂鸦治愈自己

我不曾学画，只喜欢用抽象的线条，随意乱涂。十年来看着孩子涂鸦，我也重新拿起画笔，找回儿时那个爱画画的小孩，用一幅又一幅的图画，治愈自己，还原自己。

第一步 ♥ 回眸

从小，我老是在睡梦中，被一团黑影追着跑，梦中的我，以为只有拼命地跑，才能把恐惧抛在身后，直到有一天，梦中的我累了。那一团黑影，终于一把攫住我，我怎

么可能会认输？

当我停下来，睁大心灵的眼睛，看清它，准备和它做最后的决斗时，却在回眸的刹那，看见那团黑影，融合了生命种种的丑陋、软弱、温暖和挚情。一种刺痛的恐惧，吓得我紧闭双眼，不忍直视。

我在梦中捂着眼睛，哭着醒来。那是一种很难说清楚的纠结，不是二分法的非黑即白，而是融合所有的一切，集结所有生命的滋味。

"为什么它总是追着我跑？"种种的困惑，伴随着莫名的阴影，从此变成一个恐惧的谜团，埋藏在我年少记忆的深处。

直到生了两个小孩，看见孩子自在地涂鸦，无所不画。

我才鼓起勇气，重新拿起画笔，回眸儿时的团团黑影。

我从没想过，踏出第一步面对自己的过去，会那么艰难，那么恐惧，欲哭却无泪。我又气又恼，用杯子里的水，泼了画里的眼睛。

太久没落泪的我，终于随着画里的眼睛，哭了。

第二步 ♥ 看见内在的小孩

有很长的时间，我不敢再看第一幅画。

我好怕，怕自己过去的岁月只是白活一场，活到最后只剩下那一团黑影。

还好，两个孩子的欢笑声，不断地提醒我："每个大人，都曾经是个纯真快乐的小孩。"

也许，我必须搞清楚，我究竟是怎么长大的。

唯有掀开岁月的薄纱，走进记忆的隧道，我才能重新看见自己。

瞧！她就在那里。

第三步 ♥ **面对生命的黑影**

　　很奇妙，当我勇敢地走向童年的自己时，越近，看得越清楚。

　　那个在记忆深处，总是用背影孤单地面对我的"内在的小孩"，在梦中长大了，变成了一个小女孩。

　　那一团庞大到足以把我吞噬的黑影，开始被我用笔，一次又一次地分解，不再黑压压地追着我跑。

　　而是随着童年的记忆，在生命的各个角落飞驰。

第四步 ♥ 拥抱内在的小孩

你一定也能理解，记忆不是我们想丢就能丢的，有好多年，握着手中的笔一直绕着黑影打转，很多朋友问我究竟怎么了？老是回眸写过去，越来越忧郁。

当我痛苦地想要抽身逃离，躲到蓝天白云里默默疗伤时，却蓦地想起童年，蓝蓝的天空里，总是藏着一幅又一幅的图画，那是老天爷送给我的画簿。我的梦，都藏在年少的天空里。

回眸的目光，神奇地转变了。突然从恐怖的黑色，变成美丽的酡红。

仅仅那么一瞬间，想起年少时的梦，幢幢黑影突然一片一片地瓦解飘落，化为过往的足迹，和美丽的记忆遇合。

原来，每个人的生命，都难免有黑影。

黑影，绝非生命的全部，不能因此把自己全盘"抹黑"。

我终于学会了接纳自己、拥抱自己"内在的小孩"，好好和她说说话，聆听她的梦，看见她的需要。

第五步 ♥ 寻找生命的出口

生命的痛苦，其实是我们成长的沃土。

我开始深入心灵，探看自己隐匿的内在。

却意外地在每一条幽暗崎岖的小路，发现心灵的丰盈和美丽。

我才恍然明白，老天爷对每一个人都是公平的，绝不会无端让一个人受苦。

只要我们愿意自我缝补，就能返回过去迷途的岁月，重新找回那个"断了线的心灵"。

生命，一定会找到自己的出口。

第六步 ♥ 释放所有的自己

越来越多我所不知的"我"，从图画里，从文字的笔尖，一个一个窜出来。

每一个"我"，都包裹着很多想法。

有的熟悉，有的陌生，有的令我害怕。

好像在旧的框架压抑太久了，突然找到一丝出口，便逮住机会从深处跳出来，向我抗议，要我仔细瞧瞧自己的各种容颜。

但，当我把"所有的自己"全然释放之后，反而开始迷惘，"我究竟是一个怎样的人？""哪一个才是真正的我？"

我决定带着所有的"我"，做一趟生命的旅行。

第七步 ♥ 回到故乡寻根

年少的自己，总是最真。

我相信自己回到故乡寻根，一定可以找到生命的答案。

除了回到南部老家，我也回到儿时的青青草原，寻找童年的树。

好多记忆悄悄地苏醒，像走马灯一样在生命地图上一闪一闪地跑着。

跑到不同的生命坐标，便有不同的自己。

我画了一幅图，整合了所有的我。

画面左边那一棵树，是一棵抽象的树。

我用枯枝、黑影象征自己过往的阴影，用红色的真心重新长出树荫，冒出绿色的新芽。

画面右边那一棵树，是一棵真实的树。

搂住树身的女孩是我，儿时的我。

绿色的身影和绿色的树荫，象征我的根和故乡的原野，紧紧融为一体，再也不会分开。

　　最后两只像是"红蚂蚁"的人儿，一静一动，在丰饶的岁月跳舞，是目前的我。

　　我知道，自此之后，我再也不可能遗忘，那个藏在故乡的属于童年的梦。

第八步 ♥ 勇于追梦

　　追寻梦想，是一辈子的事，永远不会"来不及"，只在于你愿不愿意鼓起勇气。

　　如果你和我一样，找到生命的根须，看到自己真正的梦。

　　如果你真真切切渴望着，一个属于自己的梦，而且不愿它永远只是一个梦。

　　那么，你就会和我一样，起身追寻，成为一个追梦的旅人。

第九步 ♥ 在爱里寻找力量

诚如托尔斯泰所言："只有付出爱的人，才是真正生活着的人。"

搜寻记忆里，曾经爱过你的任何身影；珍惜你眼前，所有真心关爱你的朋友和家人。

大声地说出你的感动，表达你的感谢。

散播爱的种子，在爱里寻找活下去的力量，那是你无法想象的巨大力量。

第十步 ♥ 返回生命的故乡

就像鲑鱼洄游到生命的出生地产卵，进行一场生命的巡礼。

哪怕旅途遇到多少困难瓶颈，这段"找回自己"、"治愈自己"的旅程，都绝对值得你试一试。

对我而言，这是一段意外的教养旅程。

因为孩子纯真的涂鸦画，触动了我重拾画笔，回眸过去不敢探视的黑影，却意外让我返回生命的故乡，把自己还原成小孩，和原生家庭重新取得联结，不仅治愈了自己，也修补了我和父母的关系。

10 年的教养旅程，很多人好奇，我是否能抵达梦想的终点，究竟教养了什么样的小孩。

事实上，真正值得庆幸的是，我终于学会如何长大。

结语 ♥ 像初生的种子，开启新的旅程，重生

常有读者写信问我：不管大人还是小孩，其实每个人的内心深处都有想飞的冲动，都渴望在自己的天空翱翔。

但又有谁能真正飞得高，飞得远呢？

如果，你能从我治愈自己的图像中，从第一幅《回眸》到最后一幅《重生》，看见我辞职归零后，经历的转折和成长。

你便会发现，这个过程最宝贵的，并不在于一个人可以飞得多高多远，而是身为母亲，我把自己还原成一颗新生的种子，重新拥有人生的选择权，可以自己决定飞翔的姿势和飞翔的天空。

我可以自己决定想要怎么飞，还有我想要用什么风格活着。

"若能让我相信你有一粒种子，我就期待奇迹的展现。"

这是梭罗的比喻，献给所有爱孩子的父母，和迄今仍然有梦想的人。

附　录

孩子看母亲

看了这么多篇淑文写孩子的文章，不知道孩子是怎样看待淑文妈妈的呢？我们请淑文采访了她的孩子，听淑文说，在这个过程当中，不知道孩子会脱口而出什么未知的内容，令她紧张万分。不过，结果也令淑文妈妈惊讶！您不妨也采访自己的孩子，看看孩子眼中的自己。

女儿观点

妈妈是迷糊虫

我有一个很迷糊又很有趣的妈妈。妈妈的记性非常不好，常常忘记东西放在哪里。

有一次，妈妈找不到钥匙，居然是要煮饭给我们吃的时候，不小心放在冰箱里了。

还有一次，妈妈要出远门，晚上会比较晚

回家，所以就先煮饭给我们吃。

因为妈妈常常忘记插电饭锅的插头，或者忘了按电饭锅的按钮，所以这一次，妈妈非常小心地把插头插上，又把按钮按下，并且看到电饭锅开始冒白烟，才放心地出门。

可是，妈妈回来的时候，却看到我、哥哥和爸爸在吃蛋糕。就在妈妈一脸疑惑时，坐在一旁的爸爸先开口说："虽然你细心又小心地检查，但是你居然忘了把米放进电饭锅里。"害得我和哥哥笑到肚子痛。

还有一次更夸张，这一次妈妈也是出门，妈妈先骑摩托车到地铁站，再坐地铁出门。"妈妈回来了！"我和哥哥兴奋地高呼。不过，第二天早上事情麻烦了。

"我的摩托车不见了，我的摩托车不见了！"一早起床就听到妈妈的一阵惊呼，不知发生了什么事。原来是妈妈的摩托车不见了啊！

奇怪了，昨天还好好的……"啊！我想到啦！"妈妈突然高呼一声："昨天突然下雨，我忘了带雨衣，是坐公交车回来的啦！摩托车还停在地铁站。"

噢，我的天啊！我这个迷糊妈妈，真不知道还会发生什么糗事啊！

妈妈是松紧带，小事松，大事紧

"杜比，你可以接受妈妈的采访吗？"我问。很正经地问。

"什么是采访？"小学五年级的儿子看我突然这么正经，吓了一大跳。

"所谓采访，就是妈妈问你几个问题，你只要把心里想说的话统统都说出来就行了。"我的心里充满了期待。真奇怪，以前做过那么多采访，怎么没想过采访儿子。

"真的吗？我说什么都可以吗？你可要全部都写出来哦！"儿子露出慧黠的眼神，闪闪发亮地笑着。我突然觉得自己要倒大霉了。

问 先说说妈妈对你的管教态度？

儿子：又松又紧。像松紧带，有时松有时紧。小事松，大事紧。

问 喜欢或讨厌妈妈哪一点？

儿子：喜欢妈妈迷糊风趣的个性，总在我不高兴时，为我带来快乐。

讨厌妈妈过于认真的个性，每次用计算机写稿都写好久，害我不能玩计算机。

问 想给妈妈什么建议？

儿子：接受自己已是中年妇女的事实。煮菜的手艺要加强。

问 妈妈陪你长大，你最开心的事是……

儿子：小时候妈妈常带我在森林散步、探险，有好多快乐美好

的回忆。每晚睡觉前，还听妈妈念《法布尔昆虫记》，很

开心。

问 你最有成就感的事，是什么？

儿子：**1.** 4岁时，走完天母水管路将近1000层阶梯。

2. 小学一年级就开始一个人参加活动，在外面过夜、露营。

3. 自己发明许多小东西。

4. 养各种昆虫。

5. 功课好，人缘好，每天都很快乐。

问 目前最有压力的事，是……

儿子：代表学校参加作文、字音字形、演讲……各种比赛。（校

际田径对抗赛不算在内，那是开心的压力）

问 你的妈妈，跟别人的妈妈有什么不同？

儿子：**1.** 我有一个与众不同的好妈妈。几乎完全不管我的学

业，让我自由自在大玩特玩。（除了考试前一天）

2. 会想尽办法说服她的小孩，帮她做很多家务事。

3. 妈妈信上帝，也信阿弥陀佛。只要会保佑一家人平安

健康的神，她都信。

问 **你觉得妈妈像什么？你会用什么颜色形容妈妈？**

儿子： 妈妈像一只温暖的手，不断用一股力量，推着我向前走。

妈妈像五彩缤纷的彩色，多彩多姿，在生活中随时可以变出很多花样。

问 **你想读幼儿园吗？你觉得上幼儿园之前，需要学写汉字吗？**

儿子： 我不想读幼儿园。我想把握时间好好地玩，痛痛快快地玩。谁想待在无聊的教室里呢？

对我来说，上小学之前不需要学写汉字。刚上小学时，有点辛苦，但后来就跟上了。

至于其他人，要不要读幼儿园，要不要学写汉字，可以随兴。每个人都不一样。

问 **从小到大，你有什么改变？**

儿子： 从顽皮爱玩，到斯文儒雅。哈！我这样说，好像有一点点在赞美自己。

问 **妈妈对你有哪些影响？**

儿子： 1. 妈妈常带我们在山上探险，还挖一条小溪给我和妹妹玩，让我学到许多同学没上过的"课程"。

2. 妈妈还保留我小时候画的图画，每次看了都很感动，常常勾起童年的回忆。

3. 妈妈常用不同的观点和我一起讨论，让我看任何事情
   都比较乐观。

问 **用几句话形容自己。**

儿子：我是一个幸福的小孩。四肢发达，头脑聪明，还有一个
  爱和我吵架的妹妹。

  我的爸爸妈妈很爱我，也很疼我，我有一个温暖的家庭。

问 **对于妈妈辞去工作，投入写作，有什么看法？**

儿子：妈妈喜欢就好，有钱赚就好，能把我写进去更好。哈！
  你要跟读者说，这都是我说的喔！

乐涩咖

黄淑文

妈妈做自己
孩子就能做自己

黄淑文
中国台湾作家、亲子教养专家，台湾博客百万"文学部落客"金奖得主，认证国际治疗师，已出版《人生难免会伤作》《右脑做父母》《妈妈做自己，孩子就能做自己》《最长的辞职信》《妈妈的读心术》等多部著作。

在书中，她用真诚温暖的文字和语言，告诉迷思中的父母最可贵的教养奥秘：关键在于做自己——快乐来自于按照你自己的价值观享受人生，来自于接纳真实的自我。在这里，她与我们分享了如何听从内心的召唤，去做自己，然后，也让孩子做自己。

编辑｜陶莉 美编｜徐燕芬

黄淑文 让养育回归
父母的自我修行

想让孩子拥有幸福快乐的人生，你现在幸福吗？想让孩子将来在事业上有所成就，你自己的价值感如何？每一幅我们所见的孩子未来的画面，其实都应该就是父母现在的自己，希望孩子成为怎样的人，就先自己成为那样的人吧！

丹

上周六参加了黄老师在海淀区举办的讲座，觉得受益良多。黄老师讲到她的一些故事时也是几度哽咽，在座的听众们也都反映热烈。很开心黄老师在百忙中还能抽出时间，为我们带来线上课程，也弥补了一些家长当时未能参加活动的遗憾。

读者心目中的黄淑文老师

与孩子和解：我们都曾是小孩

淑文认为，父母最大的一个毛病是，用权威把自己和孩子对立起来。他们常常摆出一副姿态："我是爸爸，我什么都懂！""我是妈妈，你就该听我的！"并且底气十足，"我吃过的盐比你吃过的米都多，当然有资格这么管教你啦！""我可是为你好，要不然，你将来怎么适应社会？"

淑文说，父母之所以有这种心态，是因为他们认为孩子是自己的附属品。而这一点在妈妈身上表现得尤为明显。为什么呢？因为孩子在母亲的子宫里，吸收母亲的养分，并经由一条脐带与母亲紧紧相连。所以，孩子和母亲的生命是紧紧相依的，妈妈活着，孩子就活着；妈妈死了，孩子就死了。这种生死与共的感觉会让母亲误以为"孩子出生了就

带着使命愿力，活出自己生命蓝图的典范 ——读者 黄美娥

我是个太过努力的焦虑妈妈，但是我觉得自己很幸运。在渴望找回自己活出自己生命的阶段遇到淑文老师。我终于松开太习惯用脑袋的自己，回到心灵深处开展自己。

淑文的真诚充满着穿透性 ——读者 张雅娸

第一次看淑文的书，哭得泪流满面、拔泪擦涕、抖肩抽泣，眼睛却无法从文字离开。淑文本人就是一股能量，就像引航员一样，她用热情、真诚、单纯、勇敢，陪同我迈入这趟希望与救赎的旅程，这趟非闯不可的疗愈学习。

淑文老师踏实的"实践力"，具有奇特的疗愈力量 ——读者 咪妈

跟着淑文老师一起，以诚实勇敢面对自己内心的伤、承认内心的痛，哪怕是自己的缺点、错误，皆能以看见它、接纳它、处理它（修复）、最后自然释怀放下……

亲爱的淑文老师，感谢您！由衷无比感恩与您的相遇。

孩子写给妈妈的话

　　如果有一天，孩子可以重新选择母亲，你希望拥有一位苦命的、一味地牺牲奉献的母亲？还是一位快乐的、带来欢声笑语的母亲？你是否希望母亲成为一个快乐的妈妈，养育出快乐的小孩？

 你希望妈妈变成什么样子呢？

妈妈写给孩子的话

　　"有机育儿"的意义就在于避免改造植物基因，养育出孩子独特的原貌。如果你的孩子是玫瑰花，就让他开出玫瑰花的美丽，根本不必去羡慕木棉花的高大。每朵花的一生都只为了自己原本的样子而绽放。父母的职责不是帮孩子把玫瑰花变成木棉花，而是帮助孩子活出他自己，开出他一生的美丽。

 你的孩子是什么花呢？

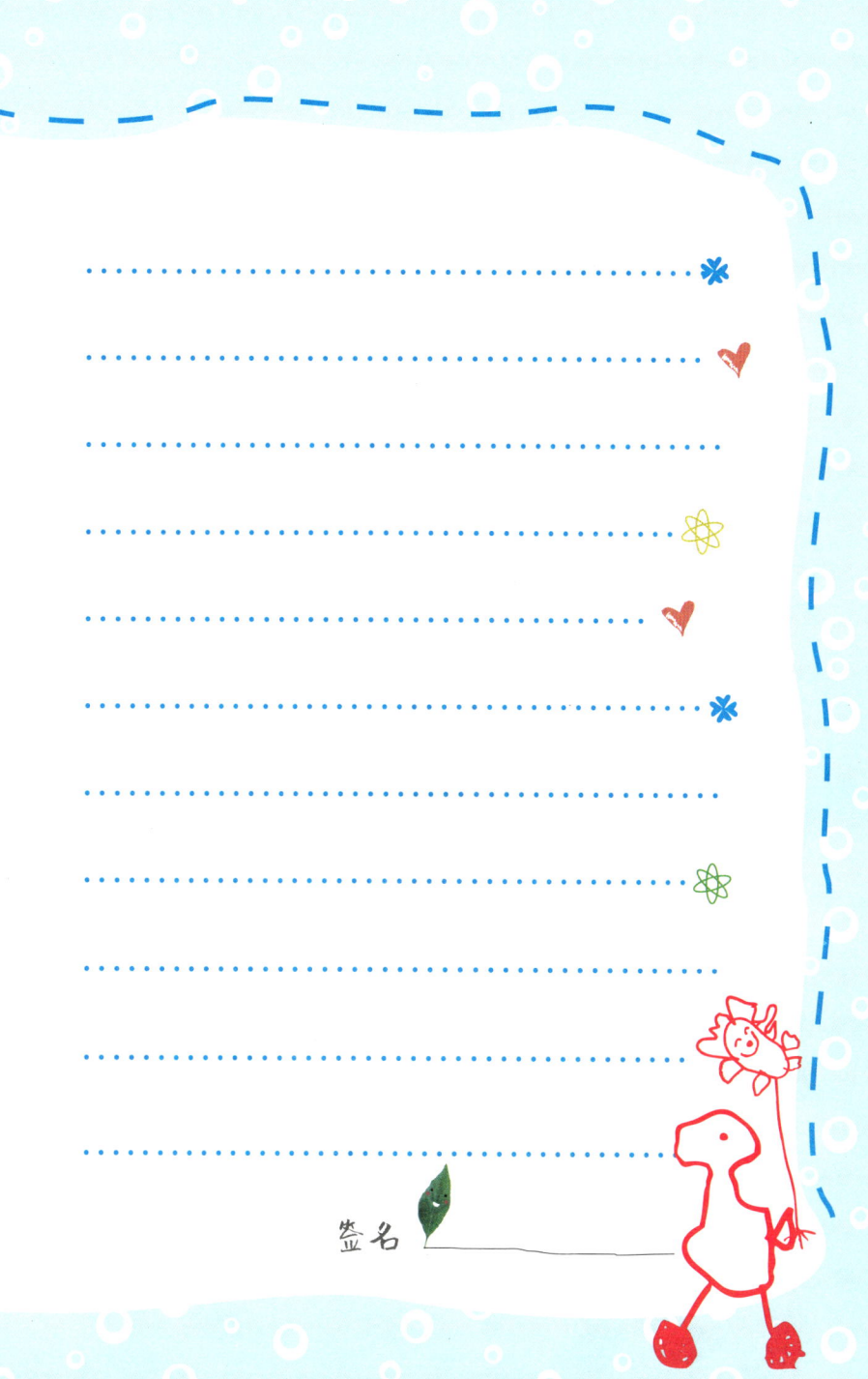

签名 _____